최상위 3%를 위한 책

산부인과
SUMMARY

3 days 요약집

**OBSTETRICS AND
GYNECOLOGY**

최원규 지음

군자출판사

산부인과 | 3 days 요약집
SUMMARY

첫째판 1쇄 인쇄 | 2022년 5월 9일
첫째판 1쇄 발행 | 2022년 5월 20일

지 은 이   최원규
발 행 인   장주연
출 판 기 획   최준호
편집디자인   유현숙
표지디자인   김재욱
발 행 처   군자출판사(주)
            등록 제 4-139호(1991. 6. 24)
            본사 (10881) **파주출판단지** 경기도 파주시 회동길 338(서패동 474-1)
            전화 (031) 943-1888   팩스 (031) 955-9545
            홈페이지 | www.koonja.co.kr

* 파본은 교환하여 드립니다.
* 검인은 저자와의 합의 하에 생략합니다.

ISBN 979-11-5955-892-4
      979-11-5955-888-7 (세트)

정가 50,000원

최상위 3%를 위한 책

산부인과
SUMMARY

3 days 요약집

Contents

산부인과 SUMMARY | 3 days 요약집(산과)

Contents

산부인과
SUMMARY │ 3 days 요약집(산과)

Contents

Contents

산부인과
SUMMARY │ 3 days 요약집(부인과)

Contents

산부인과
SUMMARY | 3 days 요약집(부인과)

산부인과
SUMMARY

3 days 요약집

OBSTETRICS

Chapter 01 산과학 개요

(1) 산과학 용어의 정의

① 주산기(perinatal period) : 임신 기간 만 22주 or 출생 체중 500 g 이상 or 신체 길이 25 cm 이상일 때부터 생후 만 28일까지(Williams, 2018), 생후 만 7일까지(WHO)

② 출산(birth) : 제대 절단, 태반 부착 여부에 관계없이 태아가 완전 만출 또는 적출된 경우 (태아 체중이 500 g 미만일 때는 유산에 포함)

③ 출생률(birth rate) : 인구 1,000명 당 출생수

④ 신생아 사망률(neonatal mortality rate) : 1,000명 출생 당 신생아 사망수

⑤ 주산기 사망률(perinatal mortality rate) : 1,000명 출산 당 사산수와 신생아 사망수를 합친 것

⑥ 저출생체중(LBW) : 출생 체중 2,500 g 미만

⑦ 최저출생체중(VLBW) : 출생 체중 1,500 g 미만

⑧ 극저출생체중(ELBW) : 출생 체중 1,000 g 미만

⑨ 조산아(preterm neonate) : 임신 36주 6일을 포함하여 그 이전에 출생한 신생아

⑩ 만삭아(term neonate) : 임신 37주부터 41주 6일을 포함하여 그 사이에 출생한 신생아

(2) 모성 사망(Maternal death)

① 직접 모성 사망(direct maternal death) : 임신, 분만 또는 산욕기의 산과적 합병증이나, 부적절한 치료, 치료의 소홀 또는 이들 요인들의 연쇄적 진행 결과에 의한 모성 사망

[2008년 이후 한국의 직접 모성 사망 원인]

② 간접 모성 사망(indirect maternal death) : 모성 사망의 원인이 직접적으로 산과적 원인에 의한 것이 아닌 경우로 임신부의 임신 전 지병 또는 임신, 분만 그리고 산욕기 중에 발병하였거나 임신부가 임신에 적응하는 과정 중에 악화된 질병에 의한 모성 사망

③ 비모성 사망(nonmaternal death) : 임신과 관련이 없는 사고 또는 우발적 원인에 의한 모성 사망

④ 모성 사망비(maternal mortality ratio) : 10만 생존 출생 당 생식 과정에 의한 모성 사망 수

⑤ 임신관련 사망(pregnancy-related death) : 사망의 원인과 관계없이 임신 또는 분만 후 42일 이내에 발생한 여성 사망

모체의 해부학

(1) 대각 결합선(Diagonal conjugate)

① Pubic symphysis의 아래에서 sacral promontory 까지의 거리(정상치 : 11.5 cm)

② 11.5 cm 이상 : Pelvic inlet이 출산에 적절한 크기

(2) 산과 결합선(Obstetric conjugate)

① Symphysis pubis의 내측면부터 sacral promontory의 중앙까지 거리(정상치 : 10 cm 이상)

② 태아 머리가 지나는 pelvic inlet의 가장 짧은 전후 직경으로서 산과적으로 중요

③ Obstetric conjugate = Diagonal conjugate - (1.5~2 cm)

(3) Interspinous diameter

① Mid pelvis의 가로 직경(transverse diameter)

② 골반 내 직경 중 가장 짧음(정상치 : 10 cm 이상)

③ 8 cm 이하 : 분만이 잘 진행되지 않을 거라 의심

(4) 골반의 형태

여성형 골반 (Gynecoid pelvis)	남성형 골반 (Android type)
- 여성의 가장 흔한 형태 - 질식 분만에 가장 적합	- 골반입구의 post. sagittal diameter가 ant. sagittal diameter 보다 짧은 형태 - 질식분만 예후가 나쁨
Android	Gynecoid

(5) 분만 예후에 영향을 미치는 5가지 인자

① 뼈 골반의 크기와 모양

② 태아 머리의 크기

③ 자궁의 수축 강도

④ 태아 머리의 변형 능력

⑤ 태위와 태향

(6) X-선 골반 계측법의 적응증

① 뼈 골반을 침범할 것 같은 질환 또는 이전의 손상

② 태위가 둔위인 상황에서 질식 분만 시도

Chapter 03 모체의 변화

(1) 임신 중 자궁의 변화

  ① 임신 전과 만삭 때 자궁의 비교

    a. 무게 : 70 g → 1,100 g

    b. 용량 : 10 mL → 5~20 L (500~1,000배 증가)

  ② 임신 중 자궁 크기 증가의 원인

    a. 임신 초기 : Estrogen에 의해(progesterone도 작용)

    b. 임신 12주 이후 : 수태산물의 증가로 인한 압력

(2) 임신 주수와 자궁저부(fundus)의 위치

  ① 임신 12주 : 골반 밖으로 나오기 시작

  ② 임신 16주 : 치골결합(symphysis pubis)과 배꼽 사이

  ③ 임신 20주 : 배꼽 높이

  ④ 임신 32주 : 칼돌기(xiphoid process) 높이

  ⑤ 임신 40주 : 임신 36주 때 보다 조금 낮아짐

(3) 자궁경부 점액의 도말 성상

염주모양(beaded pattern)	가지모양(ferning pattern)
Progesterone의 영향	Estrogen의 영향
정상 임신인 경우	양수 누출이 있는 경우
월경 주기 21일 이상	월경 주기 7~18일 사이
NaCl < 1%	NaCl > 1%

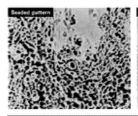
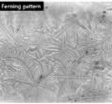

(4) 임신 황체종(Pregnancy leuteoma)

  ① 정상 난소의 과도한 황체화로 생기는 고형성 종괴

  ② 분만 후 퇴화하여 정상 난소 기능 회복

  ③ 모체의 남성화가 나타날 수 있음

(5) 난포막황체 낭종(Theca-lutein cyst)

  ① 과도한 난포 자극으로 발생하는 양성의 낭성 종괴

  ② 대개 양측성으로 커져 있고, 여러 개의 낭종이 관찰

  ③ 산모의 남성화를 일으키는 두 번째 양성 병변

  ④ 혈중 hCG의 과도한 증가와 관련이 있고, 다태아, 임신성 융모성 질환에서 잘 발견

(6) 대사의 변화(Metabolic changes)

  ① 임신 동안의 평균 체중 증가 : 12.5 kg (27.5 lb)

  ② 수분 축적(water retention)

    a. 혈장 삼투압(plasma osmolality)의 감소

    b. 레닌-안지오텐신(renin-angiotensin)계의 변화에 의해 활성 나트륨 및 수분의 저류

  ③ 임신 중 단백질의 대사

    a. 아미노산은 태반을 능동적으로 통과하여 태아 쪽으로 운반되고, 태아는 단백질을 합성하고 에너지원으로 사용

    b. 태반은 단백질 합성, 산화, 비필수아미노산의 아미노기 전이(transamination)를 담당하기도 함

  ④ 임신 중 탄수화물 대사의 특징

    a. 공복 시 경증의 저혈당(mild fasting hypoglycemia)

    b. 식후 고혈당(postprandial hyperglycemia)

    c. 고인슐린혈증(hyperinsulinemia)

  ⑤ 인슐린에 대한 말초 조직의 저항성 증가

    a. 혈당에 대한 인슐린 반응의 증가

    b. 혈당의 말초 흡수 감소

    c. 글루카곤의 반응 억제

⑥ 산모의 고지혈증(hyperlipidemia)

    a. 원인 : 증가된 인슐린 저항성과 에스트로겐 자극

    b. 임신 중 lipid, lipoprotein, apolipoprotein 증가

    c. TG, VLDL, LDL, HDL : 제3분기 동안 증가

⑦ 렙틴(leptin)

    a. 지방세포에서 분비되며, 몸의 지방과 에너지 소비의 조절에 중추적인 역할

    b. 임신 중 점차 증가, 임신 제 2 삼분기에 최고치

    c. 비정상적인 상승 : 전자간증, 임신성 당뇨와 연관

(7) 혈액학적 변화(Hematologic changes)

① 혈액량의 증가

    a. 만삭 시 평균 40~45% 증가(약 4,700~5,200 mL)

    b. 혈장량의 증가가 적혈구의 증가보다 많아 생리적 희석으로 모체 적혈구용적률이 약간 감소

② 혈액량 증가의 역할

    a. 확장된 자궁과 비대해진 혈관계통의 대사량 충족

    b. 태반과 태아에 필요한 영양분과 산소를 공급

    c. 자세에 따른 정맥혈 환류 감소로부터 보호

    d. 분만 전후 혈액 손실의 부작용에서 산모를 보호

③ 철결핍성 빈혈 : 임신 말기에 11.0 g/dL 이하인 경우

④ 정상 임신 동안의 철 요구량 : 1,000 mg

    a. 태아와 태반의 이용 : 300 mg

    b. 여러 경로를 통한 배출(주로 위장관계) : 200 mg

    c. 모체 적혈구의 증가 : 500 mg

⑤ 임신 후반기 철 요구량 : 6~7 mg/day

⑥ 임신 중 하루 철 섭취 권장량 : 철 30 mg/day

(8) 임신 중 면역기능(Immunological functions)

① 임신 중 체액성 면역 및 세포성 면역의 기능은 억제

② 백혈구 : 임신 동안 증가

(9) 혈액 응고와 항응고 기능 (Coagulation and Fibrinolysis)

① 혈소판 : 임신 동안 감소

② 혈액 응고인자

    a. 증가 : Factor I(fibrinogen), Factor II(prothrombin), VII, VIII, X, von Willebrand factor

    b. XI와 XIII(fibrin stabilizing factor)를 제외한 나머지 인자의 증가

    c. 항응고에 관련된 total protein S, protein C 감소

(10) 임신 중 폐 기능 지표의 변화

증가	감소
일회 호흡량 (tidal volume)	기능적 잔류 용량 (functional residual capacity)
분당 호흡량 (minute ventilatory volume)	잔기량 (residual volume)
분당 산소 섭취량 (minute oxygen uptake)	총 폐저항 (total pulmonary resistance)
들숨 용적 (inspiratory capacity)	$PaCO_2$
공기 전도도 (airway conductance)	
pH (respiratory alkalosis)	

변화 없음	
최대 호흡 용적 (maximum breathing capacity)	폐탄성 (lung compliance)
강제 폐활량 (forced or timed vital capacity)	호흡수 (respiratory rate)

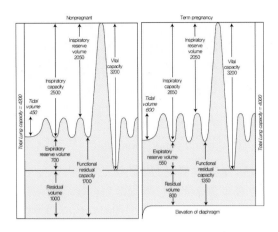

(11) 임신 후반기의 혈역학적 변화

증가	감소
• Heart rate	• Systemic vascular resistance
• Stroke volume	• Pulmonary vascular resistance
• Cardiac output	• Colloid osmotic pressure
	• COP-PCWP gradient

변화 없음
• Pulmonary capillary wedge pressure
• Mean arterial pressure
• Central venous pressure
• Left ventricular stroke work index

(12) 누운 자세 저혈압 증후군
    (Supine hypotension synd.)
   ① 정상 임신 말기에 누운 자세에서 자궁에 의해 하대정맥이 눌려 하체로부터의 정맥 환류가 감소하여 심장으로 가는 혈류가 감소하고 심박출량도 감소하여 발생하는 동맥 저혈압(arterial hypotension)
   ② 치료 : 산모를 왼쪽 측와위 자세로 눕힘

(13) 신장 기능의 변화
   ① 임신 중 신장 크기가 약간 커짐(길이가 1 cm 정도)
   ② 사구체 여과율 : 임신 초 증가 시작, 만삭까지 지속

③ 신장 혈장 유량 : 임신 초 증가, 후반에 감소
④ Creatinine clearance : 증가
⑤ Creatinine : 감소, >0.9 mg/dL 경우 신장질환 의심
⑥ Urea nitrogen : 감소, >1.4 mg/dL 경우 비정상
⑦ Glucosuria : 반드시 비정상 소견은 아님
⑧ Hematuria : 비정상 소견
⑨ Proteinuria : >300 mg/day 시 단백뇨로 진단

(14) 위장관계(Digestive tract)
   ① 가슴앓이(pyrosis, heartburn)
      a. 위산의 역류로 발생하는 속쓰림
      b. 원인
        - 임신 자궁에 의한 위장의 위치 변화
      - 하부 식도 괄약근의 긴장도 감소
      - 위장 내 압력에 비해 식도 내 압력 감소
      - 식도의 연동운동의 감소
   ② 위궤양(peptic ulcer)의 위험도 감소
   ③ 분만 진통 중의 진통제 투여 : 위배출시간의 상당한 지연 발생
   ④ 치핵(hemorrhoids)이 흔히 발생

(15) 임신 중 간 기능(hepatic function)의 변화

증가	감소
Alkaline phosphatase (ALP)	Bilirubin
Globulin	Aspartate transaminase (AST)
Leucine aminopeptidase	Alanine transaminase (ALT)
	γ-glutamyl transpeptidase (GGT)
	Albumin
	Protein

(16) 임신 중 담낭(gallbladder)의 변화
   ① Progesterone의 영향 : 담낭의 배출시간이 지연되고 담즙이 정체되면서, 담즙 콜레스테롤 포화도가 증가
   ② 다산부에서 담석의 발생 빈도가 증가

(17) 임신 중 갑상샘 기능검사의 변화

증가	감소
Thyroxine-binding globulin (TBG) Total T3, T4 Radioactive iodine uptake test (RAIU)	T3 resin uptake Serum iodine
변화 없음	
Free T3, T4 Thyroid stimulating hormone (TSH) Thyroid-releasing hormone (TRH)	

(18) 갑상샘호르몬의 태반 통과

통과 가능	통과 불가능
T3, T4 (느리게 소량 통과) Thyroid-releasing hormone (TRH) Iodide TSH receptor antibody (Long acting thyroid stimulator, LATs) Propylthiouracil (PTU) Methimazole (MTZ)	Free T4 reverse T3 (rT3) TSH

Chapter 04 생식기계 이상

(1) 뮐러관 기형(Müllerian anomalies)의 분류

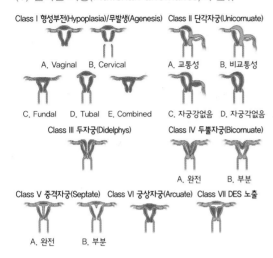

Class I 형성부전(Hypoplasia)/무발생(Agenesis) Class II 단각자궁(Unicornuate)

A. Vaginal B. Cervical A. 교통성 B. 비교통성

C. Fundal D. Tubal E. Combined C. 자궁강없음 D. 자궁각없음

Class III 두자궁(Didelphys) Class IV 두뿔자궁(Bicornuate)

A. 완전 B. 부분

Class V 중격자궁(Septate) Class VI 궁상자궁(Arcuate) Class VII DES 노출

A. 완전 B. 부분

(2) 자궁의 이상(Uterine abnormalities)

① 빈도 : Arcuate > Septate > Bicornuate > Didelphys > Unicornuate

② 비뇨기계 이상이 잘 동반 → 비뇨기계 검사 필요

(3) 단각자궁(Unicornuate uterus) : Class II

① 유산, 조산, 발육지연, 둔위, 자궁수축부전, C/S 증가

② 임신이 잘못될 가능성 40% 이상

③ 흔적 자궁뿔 임신 시 자궁파열 위험 증가

(4) 두자궁(Uterine didelphys) : Class III

① 완전히 분리된 두개의 반자궁(hemiuteri)과 자궁경부(cervix), 대개 두개의 질(two vaginas)로 구성

② 70%에서 성공적인 임신 결과를 보임

③ 유산, 조산, 이상태위, 태아성장제한, 제왕절개 증가

(5) 두뿔자궁(Bicornuate) 중격자궁(Septate) : Class IV and V

① 임신 20주 이전 유산률이 매우 높음

② 무혈관 중격(avascular septum)에 수정란이 착상되면 혈관 공급을 받지 못하기 때문

(6) 궁상자궁(Arcuate uterus) : Class VI

① 정상 자궁의 경한 변형(minimal deviation)의 일종

② 임신에 대한 예후가 좋음

(7) 자궁경부원형결찰술(Cervical cerclage)의 적응증

① Partial cervical atresia, cervical hypoplasia는 transabdominal cervical cerclage가 효과적

② Uterine didelphys, bicornuate uterus는 자궁성형 이후 transabdominal cervical cerclage 시행

(8) 중격자궁(Septate uterus)

① Hysteroscopy를 통한 격막절제술(septal resection)

② 임신율의 향상을 기대 가능

(9) 자궁근종의 적색 또는 출혈성 변성

① 증상 : 국소적 통증, 압통, 미열, 중등도 백혈구 증가

② 감별 : 충수염, 태반조기박리, 요로결석, 신우신염

③ 치료 : 진통제, 초음파, 자궁수축, 출혈 등을 확인

④ 예후 : 대개 수일 내에 증세가 사라지지만 염증에 의해 진통이 유발될 수도 있음

(10) 임신 중 난소 종양의 처치

6 cm 이하	6~10 cm
– 임신 황체 낭종(m/c) – 대부분 임신 14주 정도에 자연적 으로 사라짐 – 낭성 종괴는 계속 관찰	– 초음파, color doppler, MRI 등으로 계속 추적 관찰 – 악성 의심 시 수술
10 cm 이상	**악성이 의심되는 경우**
– 악성의 가능성 – 염전이나 파열의 경우 수술적 제거	– 크기의 증가 – 증상의 발생 – 초음파상 악성 의심 소견 • Septum • Nodular • Papillary excrescence • Large solid area

Chapter 05 착상과 태반 발달

(1) 탈락막의 구조(Decidual structure)

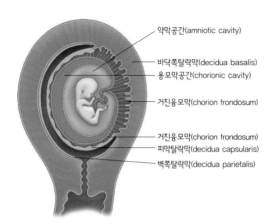

- 양막공간(amniotic cavity)
- 바닥쪽탈락막(decidua basalis)
- 융모막공간(chorionic cavity)
- 거친융모막(chorion frondosum)
- 거친융모막(chorion frondosum)
- 피막탈락막(decidua capsularis)
- 벽쪽탈락막(decidua parietalis)

(2) 상실배(Morula)

① 12~16개 가량의 할구(blastomere)로 형성된 세포 덩어리의 상태
② 수정란이 3일간은 나팔관에 머물면서 천천히 난할을 거친 후 uterine cavity로 들어갈 때의 세포상태

(3) 58 세포 주머니배(58 cell blastocyst)

5 cells	53 cells
– 내세포괴(inner cell mass) – 한쪽 끝에 cell mass가 모여 있는 부분으로 나중에 배아(embryo)로 발달	– 외세포괴(outer cell mass) – Trophectoderm이라 부르며, 이후 태반 조직을 형성

(4) Integrin

① 세포외바탕질(extracellular matrix) 단백질에 대한 세포 부착을 매개하는 세포표면 수용체
② 주머니배(blastocyst)가 자궁내막에 부착할 수 있도록 부착 분자의 발현에 관여함

(5) 영양막의 기능(Functions of the trophoblast)

① 침습성(invasiveness) : 임신 초기 주머니배(blastocyst)가 자궁안 탈락막(decidua)에 부착시키는 역할
② 영양(nutrition) : 수태물에 영양을 공급
③ 내분비 기관(endocrine organ) : 많은 호르몬을 합성, 분비하여 임신을 유지시키고 모체가 임신으로 인한 변화에 잘 적응할 수 있게 하는 역할

(6) 태아막(Fetal membrane)의 형성

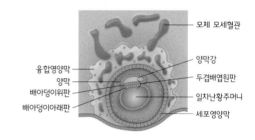

- 모체 모세혈관
- 융합영양막
- 양막강
- 양막
- 두겹배엽원판
- 배아덩이위판
- 일차난황주머니
- 배아덩이아래판
- 세포영양막

(7) 영양막의 침습(Trophoblast invasion)

① Matrix metalloproteinase-9(MMP-9)
  a. 임신 14~16주 경 trophoblast invasion에 관여
  b. Decidua의 extracellular matrix 단백질을 분해
  c. 영양막에서 분비하는 IL-1, hCG에 의해 생성 증가
② Fetal fibronectin
  a. 영양막 아교(trophoblastic glue)
  b. 영양막의 decidua로 이동 및 부착에 중요한 역할
  c. 질 분비물에서 검출될 경우 preterm labor의 예측 인자로 사용됨

(8) 반동종이식(semiallogenic)인 태아를 받아들이는 기전

① Trophoblast antigenicity 결여 : MHC class II Ag 결여

② 모체의 림프계 기능(lymphatic action) 저하

③ 세포영양막(cytotrophoblast) 세포에서 발현되는 것은 모두 HLA-G(MHC class I)

(9) Human chorionic gonadotropin (hCG)

① 화학적 특성

a. α-subunit : LH, FSH, TSH와 동일

b. β-subunit : 호르몬의 생물학적 특성(biological activity)을 나타내는 부분

② 분비 양상

a. LH 상승 7~9일 후 주머니배(blastocyst)가 착상될 때 모체의 혈액에서 측정

b. 임신 8~10주 경 최고 농도로 상승

c. 임신 10~12주 경 감소하기 시작

d. 임신 20주 경 최저 농도에 도달

e. 임신 후기에도 낮은 농도지만 지속적으로 검출

③ 정상 초기 임신 시 hCG doubling time : 2일

④ 생물리학적 작용

a. 임신 초기 난소 황체의 구출 및 기능 유지

b. 태아 고환 자극 : 태아의 성분화를 촉진

c. 임산부 갑상샘의 자극

d. Steroid의 합성 촉진 : estrogen, progesterone

e. uNK cell 조절, 모체로부터 태아 거부반응을 억제

f. 자궁혈관과 자궁근육의 이완

(10) Human placental lactogen (hPL)

① 융합세포영양막(syncytiotrophoblast)에서 합성

② 수정 3주째 임산부의 혈액에서 측정되기 시작하여 임신 34~36주까지 점진적으로 증가

③ 태반의 용적 변화와 거의 일치

④ 생물리학적 작용

a. 지방분해(lipolysis) 작용

b. 항인슐린 작용(anti-insulin effect)

c. 강력한 혈관 형성 호르몬

(11) Relaxin

① 황체, 탈락막, 태반, 뇌, 심장, 신장에서 생성

② Insulin, insulin-like growth factor와 유사

③ 기능

a. 프로게스테론과 함께 임신 초기 자궁근육의 이완(relaxation & quiescence)을 유지

b. 태반과 태아막 내에서 자가분비와 주변분비로 작용하여 출산 후 세포외 기질 분해에 관여

c. 사구체 여과율 향상

(12) Progesterone

① 생성 장소

a. 임신 6-7주 경 : 난소의 황체(corpus luteum)

b. 임신 8주 이후 : 태반(placenta)

② Luteal-placental transmission

a. 임신 8주 이전에 난소를 제거하는 경우 프로게스테론을 투여하지 않으면 유산 발생

b. 치료 : 17-α-hydroxyprogesterone caproate

(13) Estrogens

① 자체 합성이 불가능하며 반드시 태아나 모체의 도움을 받음

② 태반은 C21 steroid를 C19 steroid로 전환시키는 효소가 없음

③ 태반에서는 C19 steroid를 E1, E2를 용이하게 전환시킬 수 있어 모체나 태아로부터 C19 steroid (DHEA, DHEA-S, ADD, testosterone)를 공급받아야 함

④ 태아 부신(fetal adrenal gland)은 에스트로겐 합성의 전구물질인 DHEAS의 중요한 원천

⑤ E3는 대부분 태아 부신과 간의 복합작용으로 형성된 전구물질을 이용하여 태반에서 합성

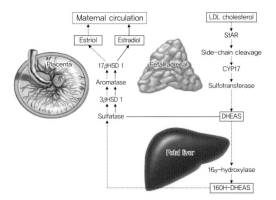

Chapter 06 태반, 탯줄, 태아막의 이상

(1) 부태반(Succenturiate lobes)

　① 주태반과 떨어져 있는 하나 이상의 다른 엽
　　이며, 태반 혈관이 탯줄의 혈관이 아닌 주태
　　반의 막에서 생성되어 각각의 부태반으로
　　연결되어 있음

　② 부태반이 남아 분만 후 출혈, 자궁이완증, 자
　　궁내막염 유발 가능

　③ 태반 혈관이 자궁내구를 덮으면 전치혈관을
　　형성하여 태아 출혈 유발 가능

(2) 막태반(Placenta membranacea)

　① 태아막에 융모가 존재하며, 이러한 막태반이
　　가늘고 깊게 착상되어 있는 태반 이상의 드
　　문 형태

　② 전치태반이나 유착태반과 동반되어 심각한
　　출혈을 일으킬 수 있음

(3) 윤상태반(Ring-shaped placenta)

　① 막태반(placenta membranacea)의 변이형

　② 고리, 링, 말발굽 모양 : 태반의 위축(atrophy)
　　때문

　③ 산전 or 산후 출혈, 태아성장제한의 가능성이
　　높음

(4) 주획태반(Circumvallate placenta)

　① 변연부의 융모막과 양막이 중첩되어 회백색
　　모양의 고리가 융기되어 있는 것

　② 융모막 주변부(chorion periphery)

　　a. 두 번 접힌 양막(amnion)과 융모막(chorion)

　　b. 탈락막 섬유소 축적(fibrin deposition)이
　　　있음

　③ 증가하는 합병증 : 산전 출혈, 저체중아, 태반
　　조기박리, 양수감소증, 유산, 조산, 태아 사
　　망, 태아 기형

(5) 태반 용종(Placental polyp)

　① 태반의 일부가 분만 후 자궁에 남아 태반 조
　　직의 괴사가 일어나고 섬유소가 침착 되어
　　형성된 것

　② 후기 산후 출혈의 원인

(6) 단일탯줄동맥(Single umbilical artery, SUA)

　① 탯줄 동맥 1개, 탯줄 정맥 1개로만 구성

　② 단일 탯줄 동맥이 진단되면 심장을 포함한
　　태아의 장기에 대해 초음파 검사를 시행

　　a. 흔한 동반기형 부위 : 심혈관계(cardiovas-
　　　cular), 비뇨생식기계(genitourinary)

　　b. 동반기형이 없는 경우 : 예후가 좋음

　　c. 동반기형이 있는 경우 : 이수배수체(aneu-
　　　ploidy) 위험이 증가하므로 양수천자 시행

(7) 양막 부착(Velamentous insertion)

　① 탯줄이 태반 가장자리 양막 부위에 부착된
　　경우

　② 가장자리의 혈관은 Warton 젤리가 없이 양막
　　에 둘러싸여 있어 압박되기 쉬움

　③ 산과적 합병증

　　a. 태아의 선천성 기형 발생률 증가

　　b. 태반 조기박리, 태아발육제한, 조산

　　c. 쉽게 눌려 태아 저산소증 유발, 낮은 Apgar
　　　점수

　　d. 전치혈관(vasa previa)을 유발

(8) 전치혈관(Vasa previa)

　① 양막 부착(velamentous insertion)된 태반에서
　　혈관이 자궁내구(internal os.)를 지나면서 태
　　아의 선진부와 자궁내구 사이에서 압박을
　　받을 수 있음

② 찢어지거나 박리되는 경우 심각한 출혈이
발생
③ 태아의 출혈은 약간만 있어도 태아에게 위험
하며, 잘 치료하더라도 예후는 좋지 않음
④ 진단 : 컬러 도플러 초음파

배아 형성과 태아 성장

(1) 태반(Placenta)의 구성 및 특징

  ① 구성 : 합포체(syncytium), 산모 혈액, 태아 혈액

  ② 특징

    a. 산모와 태아 사이에 물질 교환이 일어나는 장소

    b. 태아의 혈액과 산모의 혈액이 직접적으로 섞이지 않고 융모막융모(chorionic villi)에 있는 융합세포영양막(syncytiotrophoblast)을 통해 일어남

(2) 산모-태아 간의 물질 이동
   (Maternal-fetal transfer)

  ① 산모에서 태아 쪽으로 이동
   융모사이공간(intervillous space) → 융합세포영양막(syncytiotrophoblast) → 융모사이공간(intervillous space)의 간질(stroma) → 태아모세혈관벽(fetal capillary wall)

  ② 태아에서 산모 쪽으로 이동은 역으로 이루어짐

  ③ 산소, 영양분은 태아로 공급되고 노폐물은 산모 쪽으로 배출되므로 융모사이공간과 융합세포영양막은 태아에게 폐, 위장관 및 신장의 기능을 함

(3) 태반 내 물질의 이동 기전

	Selective transfer	
Diffusion	Facilitated diffusion	Active transport
O_2, CO_2, H_2O Fatty acid Amino acid Electrolyte (Fe, Ca 제외) Insulin Steroid hormone Thyroid hormone Placental hormone (hCG, hPL)	Glucose Galactose Lactate IgG	Vit. C Iodide Iron (Fe) Calcium (Ca) Phosphorus

(4) 임신 중 태아가 낮은 산소 분압에 적응하는 기전

  ① 태아 체중에 비해 높은 심박출량(cardiac output)

  ② 산소 친화도 : 태아 Hb > 성인 Hb

  ③ 성인에 비해 높은 혈색소에 의해 낮은 산소 장력(oxygen tension)을 효과적으로 보상

(5) 양수(Amniotic fluid)

  ① pH : 7.0~7.5(약알칼리성)

  ② 양수량

    a. 임신 8주에 약 10 mL, 임신 12주에 50 mL, 임신 21주까지 매주 60 mL 씩 증가

    b. 임신 34주에 1,000 mL 정도로 최대량 도달

    c. 만삭이 가까워지면 양수량은 감소

  ③ 양수의 기능

    a. 태아의 움직임을 용이하게 하여 성장을 도움

    b. 외부 충격으로부터 태아를 보호

    c. 일정한 온도를 유지

    d. 양수 내에 포함된 성장호르몬을 통하여 태아의 성숙을 도우며, 폐와 소화기계의 성장과 분화를 증진

    e. 태아의 건강에 관한 정보를 제공

    f. 분만 중 선진부를 대신하여 자궁경부 개대 및 숙화를 진행시켜 분만진행에 도움을 제공

(6) 태아 순환(Fetal circulation)

  ① 고산소 농도
   태반 → 탯줄정맥(umbilical vein) → 간문맥동(portal sinus) → 정맥관(ductus venosus) → 우심방(right atrium)+상대정맥(Sup. vena cava)에서 온 혈액 → 우심실(right ventricle)

② 저산소 농도

우심실(right ventricle) → 동맥관(ductus arteriosus) → 하행 대동맥(descending aorta) → 탯줄동맥(umbilical artery) → 태반

③ 산소 농도 가장 낮은 곳

동맥관(ductus arteriosus)

(7) 출생 후 태아 순환의 변화

출생 전	출생 후
동맥관(ductus arteriosus)	2~3주 후 폐쇄
정맥관(ductus venosus)	정맥관인대(lig. venosum)
탯줄동맥(umbilical artery)	탯줄인대(umbilical ligament)
탯줄정맥(umbilical vein)	자궁원인대(ligamentum teres)
난원공(foramen ovale)	난원와(fossa ovalis)

(8) 임신 주수에 따른 조혈(Hemopoiesis)기관의 변화

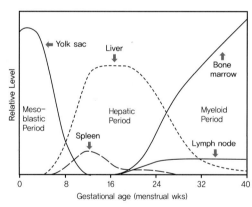

임신주 수	조혈기관
~10주	난황낭
6주~출생	간
4-28주(주로 8~16주)	비장
20주~출생 후 계속	골수(대부분)
20주~출생 후 계속	림프절(일부)

(9) 표면활성제(Surfactant)

① 구성성분

a. PC : 50%

b. PG : 8~15%

c. PI : 4%

② 인지질글리세롤(phosphatidylglycerol, PG)

a. 낮은 함유량에도 불구하고 단독으로 표면 장력의 감소에 아주 중요한 작용

b. 호흡곤란증후군(RDS) 예방에 가장 중요한 역할

(10) 갑상샘 호르몬의 태반 통과

① Iodine : 태반을 쉽게 통과

② TSH : 태반을 통과하지 못함

③ Long acting thyroid stimulator : 고농도일 때 통과

④ Thyroid hormone (T3, T4) : 제한적으로만 태반을 통과

(11) 뮐러관 억제물질

(Müllerian inhibiting substance, MIS)

① Anti-Müllerian hormone (AMH)이라고도 불림

② 뮐러관(Müllerian duct)이 자궁, 나팔관, 질 상부로의 발달을 억제

③ 측분비인자(paracrine factor)로써 형성된 장소 근처에 국소적으로 작용

④ 한쪽의 고환이 없다면 그쪽의 뮐러관은 지속되어 그쪽 편의 자궁과 나팔관이 발생

Chapter 08 임신 전 관리

(1) 산모의 나이에 따른 위험성

청소년 임신에서 증가하는 위험성	
• 임신성 고혈압	• 조기진통
• 전자간증(preeclampsia)	• 태반조기박리
• 자간증(eclampsia)	• 양수 내 감염
• 빈혈	• 영아 사망률
• 태아성장제한	• 성병

고령 임신에서 증가하는 위험성	
임산부의 위험성	태아의 위험성
• 임신성 당뇨병	• 고혈압, 당뇨 같은 임신부의
• 임신성 고혈압	합병증에 의한 조산
• 조산	• 특발성 조기진통 증가
• 저체중 출생아	• 산모의 만성 질환이나
• 전치태반	다태임신에 의한 태아성장장애
• 태반조기박리	• 태아의 홀배수체(aneuploidy)
• 제왕절개분만의 빈도	염색체 이상의 증가
• 주산기 이환율과 사망률	• 보조생식기술에 의한 다태임신
• 사산	및 태아기형 증가

(2) 당뇨(Diabetes mellitus)

① 목표 혈당(ADA 2019, ACOG 2018)
   a. 공복 혈당 ≤95 mg/dL
   b. 식후 1시간 혈당 ≤140 mg/dL
   c. 식후 2시간 혈당 ≤120 mg/dL
② 혈당 조절 방법 : 식이요법, 운동요법, 인슐린 (insulin)

(3) 간질(Epilepsy)

① 구조적 이상의 태아 발생률이 2~3배 높음
② 임신에 앞서 1년간 발작 증세가 없었던 경우, 임신 중 경련(seizure)의 위험성이 50~70% 감소하여 임신 전 항경련제의 투여를 중지해 볼 수 있음
③ 약물의 중지가 어려운 경우 기형 발생이 적은 약, 가급적이면 한가지 약물로 투여하고 엽산(folic acid)을 같이 복용

(4) 엽산(Folic acid)

① 비타민 B9으로 아미노산, 핵산(DNA) 합성, 세포 분열과 성장 등에 중요
② 임신 전 엽산 복용은 신경관 결손 예방에 도움이 됨
③ 엽산(folic acid)의 예방적 복용
   a. 가임 여성 : 매일 400 μg/day 권장
   b. 일반 산모 : 임신 전 1개월부터 임신 제 1 삼분기 동안 400~800 μg/day 권장
   c. 고위험 산모 : 임신 전 1개월부터 임신 제 1 삼분기 동안 4 mg/day 권장
      - 신경관 결손(neural tube defect) 임신의 과거력
      - 임신 전 당뇨(pregestational DM)
      - 항경련제(anticonvulsant) 복용자 : valproic acid

09 산전 관리

(1) 초음파 검사에 의한 임신의 확인

① 복부 초음파
  a. 임신 5주 : 임신낭 확인
  b. 임신 6주 : 태아 심박동 확인
② 질 초음파
  a. 임신 4주 : 임신낭 확인
  b. 임신 5주 : 난황주머니 확인
  c. 임신 6주 직전 : 태아 심박동 확인

(2) 용어의 정의

① 임신력(gravidity) : 현재의 임신을 포함하여 완료된 모든 임신의 횟수
  a. 미임신부(nulligravida) : 임신한 경험이 없는 여성
  b. 초임부(primigravida) : 처음 임신 하였거나 한번 임신한 경험이 있는 여성
  c. 다임신부(multigravida) : 두 번 이상의 임신 경험이 있는 여성
② 출산력(parity)
  a. 미분만부(nullipara) : 유산의 범위(임신 20주 0일)를 지나 임신을 종결한 경우가 없는 여성으로 자연유산이나 선택유산의 경험은 관계없음
  b. 초산부(primipara) : 생존 또는 사망한 태아를 임신 20주 0일 이후에 분만한 횟수가 1번인 여성
  c. 다분만부(multipara) : 생존 또는 사망한 태아를 임신 20주 0일 이후 분만한 횟수가 2번 이상인 여성
  d. 산후부(puerpera) : 바로 전에 분만을 끝낸 여성
③ 삼분기(trimester)
  a. 제1삼분기 : LMP 첫째 날~임신 $14^{+0/7}$주까지
  b. 제2삼분기 : 임신 $14^{+1/7}$주~$28^{+0/7}$주까지

  c. 제3삼분기 : 임신 $28^{+1/7}$주~$42^{+0/7}$주까지
④ 임신 기간
  a. 조산(preterm) : 임신 $20^{+1/7}$주에서 $36^{+6/7}$주까지
  b. 만삭(full term) : 임신 $37^{+0/7}$주부터 $41^{+6/7}$주까지
  c. 지연임신(postterm) : 임신 $42^{+0/7}$주을 지난 경우

(3) 임신 주수별 산전 관리

임신 주수	실시 항목
최초 방문 시	초음파 검사, 빈혈 검사, 혈액형 검사, 풍진 항체 검사, B형 간염 검사, 에이즈 검사, 소변 검사, 자궁경부 세포진 검사
임신 9~13주	초음파 검사(목덜미투명대 11~13주), 이중 표지자 검사(PAPP-A, hCG), 융모막융모생검
임신 15~20주	삼중 검사(α-fetoprotein, hCG, estriol), 사중 검사(α-fetoprotein, hCG, estriol, inhibin-A), Maternal serum AFP, 양수 검사
임신 20~24주	정밀 초음파, 태아 심장 초음파
임신 24~28주	임신성 당뇨 선별검사, 빈혈 검사, Rh 음성인 경우 면역글로불린 주사
임신 29~41주	초음파 검사, 분만 전 검사, 수술 전 검사, 태아안녕검사(NST)

(4) BMI에 따른 적절한 임신 중 체중 증가 범위

임신 전 BMI	체중 증가 권고 범위 (Kg)	
	단태(Singleton)	쌍태(Twin)
저체중 (<18.5 kg/m^2)	12.5~18	기준 없음
정상 (18.5~24.9 kg/m^2)	11.5~16	16.8~24.5
과체중 (25~29.9 kg/m^2)	7~11.5	14.1~22.7
비만 (≥30 kg/m^2)	5~9	11.4~19.1

(5) 철(Iron)

① 임신 중 총 철분 요구량 : 1,000 mg(태아와 태반 300 mg, 모체 적혈구 생성 500 mg, 배출 200 mg)
② 임신 중기 이후 평균 철 요구량 : 약 6~7 mg/day

③ 임신부 철 섭취 권고안

    a. 한국영양학회 권고안 : 24 mg iron/day

    b. 미국산부인과학회 권고안 : 27 mg iron/day

④ 하루 60~100 mg iron/day 복용해야 하는 경우

    a. 임신부의 체격이 큰 경우

    b. 쌍태아를 임신한 경우

    c. 철분제를 불규칙적으로 복용한 경우

    d. 혈색소치가 정상 이하인 경우

(6) 엽산(Folic acid)

① 임신 초기 엽산 복용 : 신경관 결손 위험성이 감소

② 가임기 여성 : 400~800 µg/day

③ 이전에 신경관 결손 아이를 분만하였거나 간 질약을 복용 중인 여성 : 4 mg/day (임신 최소 한 달 전부터 임신 제 1 삼분기까지)

(7) Vitamin A

① 고농도(>10,000 IU/day) 섭취 시 태아기형 증가

② Vitamin A derivative isotretinoin : 기형유발물질

③ 과일, 채소에 있는 beta-carotene은 태아 독성 없음

(8) Vitamin B$_{12}$(cobalamin)

① 동물성 식품에만 함유, 채식주의자에게 섭취 권고

② Vit. C의 과량 섭취는 Vit. B$_{12}$의 기능적 결핍 을 유발

(9) 임신 중 운동의 절대 금기증(ACOG, 2017)

① 심혈관 질환 또는 폐질환이 있는 경우

② 조기진통의 위험성이 있는 경우 : 원형결찰 술, 다태아 임신, 질 출혈, 조기진통, 조기양 막파수

③ 임신 합병증이 있는 경우 : 전자간증, 전치태 반, 빈혈, 잘 조절되지 않는 당뇨 또는 간질, 병적으로 심한 비만, 태아성장제한

(10) 생백신(Live attenuated virus vaccines)

① 홍역(measles), 볼거리(mumps), 풍진(rubella), 수두(varicella), 두창(smallpox) : 임신 중 금기 (수유 중 가능)

② 장티푸스(typhoid) : 위험 지역 여행 or 노출 시 접종

③ 황열병(yellow fever) : 위험에 노출되었을 때 만 접종

(11) 백일해(Pertussis)

① 최근 유병률 증가, 1세 미만 영아의 사망위험 이 높음

② 임신 27~36주 사이에 파상풍-디프테리아-백 일해 백신(Tdap) 접종을 권고(ACOG, 2017)

③ 임신 중 접종하지 못한 경우 분만 후 신속하 게 접종

(12) 면역글로불린(Immune globulins)

① A형 간염(hepatitis A), B형 간염(hepatitis B), 광견병(rabies), 파상풍(tetanus), 홍역(mea- sles), 수두(varicella)

② 임신 중 감염에 노출되면 예방적으로 투여

Chapter 10 산과 영상

(1) 임신 제 1 삼분기의 초기 초음파 소견

임신낭(gestational sac)이 보이는 시기

질 초음파(TVUS)상 임신 5주
복부 초음파(TAUS)상 임신 6주

배아와 심박동이 보이는 시기

질 초음파(TVUS)상 임신 6주
복부 초음파(TAUS)상 임신 7주

배아(embryo)가 보여야 하는 경우

질 초음파(TVUS)상 평균 임신낭 크기(MSD) ≥25 mm

심박동(cardiac activity)이 보여야 하는 경우

복부 초음파(TAUS)상 배아 ≥15 mm
질 초음파(TVUS)상 배아 ≥7 mm
임신낭(+) 난황낭(−) & 14일 후
임신낭과 난황낭이 보인 날부터 11일 후

(2) 태아 목덜미 투명대(nuchal translucency, NT)

① 검사 시기 : 임신 $11^{+0/7}$주~$13^{+6/7}$주 (CRL 45~84 mm)
② 검사 방법
    a. 태아가 화면의 75% 이상 되도록 확대
    b. 중앙 시상면(midsagittal plane)에서 측정
    c. 태아의 코뼈, 코 피부, 구개가 보여야 함
    d. 태아의 목은 중립 위치(neutral position)
    e. 캘리퍼를 투명대 내측에서 연조직 내측(inner to inner)에 위치하여 최대 두께를 측정
    f. 최소 3회 이상 측정한 후 가장 높은 값을 기록
③ 정상 : <2.5~3 mm, ≤95 percentile

(3) 임신 주수의 추정

① 임신 제1삼분기 : CRL이 가장 유용(3~5일 오차)
② 임신 제2삼분기 : BPD가 가장 유용(7~10일 오차)
③ 임신 26주 이후에는 모두 정확하지 않음

(4) 척추이분증(Spina bifida)

① 수막탈출증(meningocele) : 뇌막낭만 돌출된 것
② 수막척수탈출증(myelomeningocele) : 뇌막낭 안에 신경조직을 포함하여 돌출된 것(90%를 차지)
③ Arnold-Chiari II malformation
    a. 척추이분증(spina bifida)과 동반되어 발생
    b. 두개 내 징후(cranial signs) : small BPD, ventriculomegaly, lemon sign, banana sign, small or absent of cisterna magna

(5) 뇌실확장증(Ventriculomegaly)

① 뇌실 넓이의 측정
    a. 가측 뇌실(lateral ventricle)이 posterior horn과 temporal horn으로 이행되는 부위 atrium에서 측정
    b. 맥락얼기뭉치(glomus of choroid plexus) 바로 옆에서 뇌실의 벽에 수직으로 벽 안쪽부터 반대편 벽 안쪽(inner to inner margin)까지 측정
② 진단 기준
    a. Ventricular atrial diameter >10 mm
    b. Choroid plexus separation from wall ≥3~4 mm
    c. Dangling choroid plexus (Dangling sign)

(6) 다운증후군(Down syndrome, trisomy 21)

① Major sign : NT↑, Nasal bone hypoplasia, AVSD, Duodenal obstruction
② Minor sign : clinodactyly, sandal gap, short long bone, mild renal pelvic dilatation, hyperechoic bowel

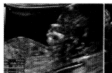

(7) 에드워드증후군(Edwards syndrome, trisomy 18)

① NT↑, absent nasal bone + other anomalies
② Cardiac defects, omphalocele, diaphragmatic hernia, spina bifida, brain anomalies, clenched hands, CPCs, strawberry calvarium, FGR, SUA

(8) 파타우증후군(Patau syndrome, trisomy 13)

① Holoprosencephaly, Enlarged echogenic kidneys, Postaxial polydactyly, FGR
② Cardiac defects : Hypoplastic left heart + intra-cardiac echogenic focus

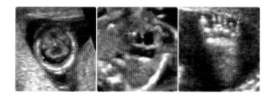

(9) 사방 단면도(4 chamber view)에서 진단이 어려운 질환

① 완전 대혈관전위(TGA), 팔로사징(TOF), 심실중격결손(VSD), 하대정맥단절(interruption of IVC)
② 대동맥축착(CoA), 대동맥협착(AS), 폐동맥판협착(PS)

(10) 샘창자폐쇄(Duodenal atresia)

① 부분적 또는 완전한 폐색으로 인한 정상적인 샘창자의 관 형성 부족으로 발생
② 특징
  a. 임신 24주 이전에는 진단이 어려움
  b. 약 40~50%에서 다른 주요 기형을 동반
  c. 다운증후군이 20~50%에서 동반
③ 초음파 소견
  a. 쌍기포징후(double-bubble sign)
  b. 양수과다증(polyhydramnios)
  c. 위의 연동항진(hyperperistalsis of stomach)
  d. 샘창자에 차 있는 물은 항상 비정상 소견

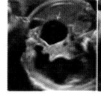

Chapter 11 양수

(1) 정상 양수량

① 임신 10주에 약 30 mL, 임신 16주에 약 200 mL
② 임신 제3삼분기 중반 : 약 800 mL
③ 임신 36주까지 1 L 정도로 증가, 이후 약간 감소

(2) 양수과다증(Hydramnios, Polyhydramnios)

	AFI (cm)	SDP (cm)	빈도 및 특징
경증 (Mild)	25~29.9	8~9.9	가장 흔한 형태 전체의 약 65% 대부분 특발성
중등도 (Moderate)	30~34.9	10~11.9	전체의 약 20%
중증 (Severe)	≥35	≥12	전체의 약 15% 중등도 이상은 90%에서 원인이 확인되며, 이중 반 은 태아 기형

(3) 양수과다증을 잘 동반하는 경우

① 태아 기형 : anencephaly, spina bifida, esophageal atresia, duodenal atresia, diaphragmatic hernia, cardiac hypertrophy, cleft lip & palate
② 산모의 당뇨병
③ 면역성 및 비면역성 태아수종
④ 일란성 쌍태아 수혈증후군

(4) 양수과다증의 예후

① 특발성이며 경증인 양수과다증 : 주산기 예후 양호
② 태아의 합병증 : 태아 기형, 염색체 이상, 사망, 조산, 거대아, 자궁 내 태아성장제한, 비정상 태위, 탯줄 탈출
③ 산모의 합병증 : 호흡곤란, 비정상 태위에 의한 수술적 분만의 위험 증가, 조기양막파수, 태반조기박리, 자궁수축력 기능장애, 자궁 이완증, 산후 출혈

(5) 양수과다증의 치료

① 양수천자, 양막파수, 인도메타신(indomethacin)
② 이뇨제 투여, 수분, 염분의 제한 : 효과 없음

(6) 양수과소증(Oligohydramnios)

① 양수지수(AFI) : 5 cm 미만
② 단일 최대 양수 포켓(SDP) : 2 cm 미만

(7) 양수과소증의 원인

모체측 원인	태아측 원인
자궁태반관류 저하 만성 고혈압 전자간증 신장질환	양막파수, 태아성장제한 지연 임신, 과숙 임신 염색체 이상, 태아 기형 태아 사망
태반측 원인	**약물 원인**
태반조기박리 쌍태아 수혈증후군 태반경색	ACE inhibitors Angiotensin-receptor blockers NSAIDs

(8) 양수과소증의 예후

① 임신 제1삼분기
 a. 유산의 위험이 높음
 b. 양수량 변화, 태아 심박동 등의 추적 관찰 필요
② 임신 제2삼분기
 a. 조산, 근골격계 기형, 폐형성저하증 등이 발생
 b. 양수량 변화, 태아 성장, 안녕상태 등의 확인 필요
③ 임신 제3삼분기
 a. 정상적으로 임신 36주 이후에는 양수의 양이 감소
 b. 양수지수가 적을수록 태아 기형의 발생이 흔함

c. 기형이 없어도 증가하는 위험성 : 태아성
   장제한, 탯줄 압박, 태아절박가사, 제왕절
   개술, 태변 착색, 태변 흡인
④ 근골격계의 발달 이상 : 기형, 신체 결함
⑤ 폐형성저하증(pulmonary hypoplasia)
   a. 임신 23주 이전 발생 : 심한 폐형성저하증
      발생
   b. 임신 24주 이후 발생 : 폐형성저하증 발생
      안함

Chapter 12 기형학과 기형유발물질

(1) 태아의 선천성 결함 발생 원인

① 원인 불명(unknown) : 80%
② 염색체(chromosome) : 15%
③ 유전적 원인(genetic) : 4%
④ 당뇨(diabetes) : 0.6%
⑤ 쌍태아 관련 : 0.3%
⑥ 감염 : 0.2%
⑦ 약물 : 0.1%

(2) 약물에 대한 FDA의 분류

Category	특징
Category A	사람을 대상으로 한 연구에서 태아에 위험이 없다고 입증된 약물
Category B	동물 시험 결과 동물의 태아에 대한 독성은 없었으나, 사람을 대상으로 한 연구는 없는 약물, 또는 동물 시험 결과 태아에 대한 위험성이 나타났지만 임부를 대상으로 한 임상 시험에서는 태아에 대한 위험성이 나타나지 않은 약물
Category C	동물 시험 결과 태아에 위험성이 나타났으나 사람에 대한 연구는 없고, 약물의 이득이 위험성보다 크다고 인정되는 약물, 또는 유용한 동물 시험 및 임상 시험이 시행되지 않은 약물
Category D	태아 위험의 증거는 있으나, 약물의 이득이 위험보다 큰 약물
Category X	태아에 대한 위험이 있고, 약물의 이득보다 위험이 큰 약물
Category N	임신 중 등급이 분류되지 않은 약물

(3) 알코올(Alcohol)

① Ethanol, Ethyl alcohol : 강력한 기형유발물질
② 태아 알코올증후군(fetal alcohol syndrome)
　a. 안면기형 : 짧은 안검열, 길고 편평한 인중
　b. 출생 전 또는 후의 성장제한
　c. 중추신경계의 이상 : 뇌성장저하, 뇌기형, 지능저하
　d. 감각 이상, 뇌성마비, 간질

(4) ACE Inhibitors & Angiotensin receptor blockers

① 약물
　a. ACE inhibitor : enalapril, captopril 등
　b. ARB : losartan, irbesartan 등
② 제2삼분기에 노출 시 태아의 신장, 순환계에 영향
　a. Fetal hypotension, hypoperfusion, anuria
　b. Oligohydramnios, fetal growth restriction
　c. Pulmonary hypoplasia, limb contractures, death

(5) Vitamin A

자연 형태의 vitamin A	Vitamin A isomers
β-carotene, retinol 기형 유발 안함	isotretinoin, etretinate, acitretin 강력한 기형유발물질

(6) 항응고제(Anticoagulant)

와파린(warfarin)	헤파린(heparin)
태반을 통과 노출 시기에 따라 다른 결함 발생	태반을 통과하지 않음 기형 유발이 없음

• 태아 와파린증후군(fetal warfarin syndrome) : 골격계이상, 코형성저하증, 골격이상, 안구이상, 청각장애, IUGR, 심장기형 등

(7) 흡연(Tobacco)

산모에 대한 영향	태아에 대한 영향
Fetal growth restriction	Hydrocephaly
Preterm birth	Microcephaly
Placenta previa	Omphalocele
Placenta abruption	Gastroschisis
Spontaneous abortion	Cleft lip & palate
	Hand abnormality
• 임신성 고혈압은 감소	Sudden infant death syndrome
	Childhood asthma & obesity

(8) 기형유발물질과 태아독성물질의 종류

Selected Teratogens and Fetotoxic agents		
Acitretin	Efavirenz	Phenobarbital
Alcohol	Fluconazole	Phenytoin
Ambrisentan	Isotretinoin	Radioactive iodine
ACE inhibitors	Lamotrigine	Ribavirin
ARB	Lead	Tamoxifen
Androgens	Leflunomide	Tetracycline
Bexarotene	Lenalidomide	Thalidomide
Bosentan	Lithium	Tobacco
Carbamazepine	Macitentan	Toluene
Chloramphenicol	Methimazole	Topiramate
Cocaine	Mercury	Trastuzumab
Corticosteroids	Methotrexate	Tretinoin
Cyclophospha-mide	Misoprostol	Valproic acid
Danazol	Mycophenolate	Warfarin
Diethylstilbestrol	Paroxetine	

Chapter 13 유전학

(1) 출생 결함의 기전에 따른 분류

  ① 기형(malformation) : 비정상적 유전자에 의한 결함

  ② 변형(deformation) : 유전적으로 정상이지만 자궁 환경에 의한 물리적 힘으로 인해 비정상적 모양으로 발달

  ③ 파열(disruption) : 특정 손상에 의해 변형

(2) Trisomy 21 syndrome (Down syndrome)

  ① 원인 : 모계의 21번 염색체의 비분리 현상

  ② 특징

    a. 가장 흔한 세염색체 이상

    b. 산모의 나이가 많을수록 발생 증가

  ③ 핵형(karyotype)

    a. Trisomy 21(47,XY,+21) : 가장 흔한 형태(95%)

    b. 나머지 : 전위(translocation), 섞임증(mosaicism)

  ④ 주요 기형 및 외형적 특징

주요 기형	외형적 특징
• 심장기형(50%) : VSD, AVSD	• 편평한 후두부, 작은 머리
• G-I atresia	• 혀를 내미는 증상
• Duodenal atresia	• Epicanthal folds
• 아동기 백혈병	• 치켜져 올라간 눈꼬리
• Thyroid disease	• 편평한 코
• Hydrocephaly	• Hypotonia
• 지능 장애(IQ 35~70)	• Single palmar crease

(3) Trisomy 18 syndrome (Edward syndrome)

  ① 특징

    a. 산모의 나이가 많을수록 발생 증가

    b. 대부분 임신 10주부터 임신 말기 사이에 사망

    c. 50% 이상이 첫 1주 내 사망, 1년 생존율은 약 2%

    d. 여아(females)에게서 3~4배 더 흔하게 발생

  ② 주요 기형 및 외형적 특징

주요 기형	외형적 특징
• 심장기형(90%) : VSD, ASD	• 돌출된 후두부, 작은 머리
• Choroid plexus cysts	• Malformed auricles
• Meningomyelocele	• Micrognathia
• Diaphragmatic hernia	• Clenched hand
• Omphalocele	• Rocker-bottom feet
• Imperforate anus	• Clubbed feet
• Horseshoe kidney	• Fetal growth restriction

(4) Trisomy 13 syndrome (Patau syndrome)

  ① 특징

    a. 산모의 나이가 많을수록 발생 증가

    b. 대부분 자궁 내에서 사망

  ② 핵형(karyotype)

    a. 대부분 세염색체 질환

    b. 로버트슨전위 형태(20%) : der(13;14)(q10;q10)

  ③ 주요 기형 및 외형적 특징

주요 기형	외형적 특징
• Holoprosencephaly(70%)	• Microcephaly
• 심장기형(90%)	• Hypotelorism
• Encephalocele	• Microphthalmia
• Radial aplasia	• Cleft lip & palate
• Omphalocele	• Polydactyly
• Cystic renal dysplasia	• Rocker-bottom feet

(5) 45,X (Turner syndrome)

  ① 특징

    a. 산모의 나이와 발생은 관계가 없음

    b. 유산조직에서 보이는 가장 흔한 염색체 수적 이상

    c. 생존 가능한 유일한 일염색체(monosomy) 이상

  ② 주요 기형 및 외형적 특징

주요 기형	
• Hypothyroidism	• Ovarian dysgenesis
• Horseshoe kidney	• 심장기형
• 정상 지능지수	

임신 중 외형적 특징	출생 후 외형적 특징
• Cystic hygroma	• 작은 키(140 cm 정도)
• Hydrops fetalis	• Lymphedema, webbed neck
• 태아 사망	• 방패가슴, 낮은 두발선

(6) 47,XXY (Klinefelter syndrome)

① 남자 신생아 600명당 1명(가장 흔한 성염색체 이상)

② 아버지와 어머니의 나이와 관련이 없음

③ 주요 기형 및 외형적 특징

주요 기형	외형적 특징
• 정상 외모	• 큰 키(taller than average)
• 정상적인 사춘기 발달	• 여성형 유방(gynecomastia)
• Gonadal dysgenesis	• 유환관증(eunuchoidism)
• 남성화 장애 및 불임	• 비만이 흔함
• 정상 지능(일부 발달장애)	

(7) 보통염색체 우성유전
(Autosomal Dominant inheritance)

① 돌연변이 유전자가 하나만 있어도 표현형이 나타남

② 수직 전파(vertical transmission)

   a. 세대를 거르지 않고 모든 세대에서 보임

   b. 부부의 한 쪽은 정상이고 한 쪽은 비정상인 경우, 자녀의 50%에서 질환이 발생

   c. 질환이 생긴 자녀의 자손 50%에서 이환

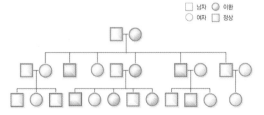

(8) 보통염색체 열성유전
(Autosomal Recessive inheritance)

① 돌연변이 유전자 두개가 있을 때 표현형이

나타남

② 수평 전파(horizontal transmission)

   a. 한 세대에서만 질환이 나타날 수 있음

   b. 부모 모두 보인자인 이접합체일 때 자녀에게 질환이 나타날 위험은 25%, 50%는 보인자, 25%는 정상

   c. 배우자 중 한 사람이 보인자인 이접합체인 경우에는 자녀에게 질환이 나타나지 않음

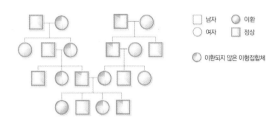

(9) X 연관성 우성유전
(X-linked Dominant inheritance)

① 이접합체 어머니에게서 50%의 확률로 딸에게 이환

② 아들의 경우 대부분 치명적으로 나타남

(10) X 연관성 열성유전
(X-linked Recessive inheritance)

① X 연관성 질환의 대부분은 열성유전

② 사선 전파(oblique transmission)

   a. 주로 남자에게만 발생 - 남자는 반접합 상태이므로 어머니가 보인자일때 아들의 50%에서 질환 발생

   b. 여자가 보인자로 이접합체인 경우 정상으로 보임

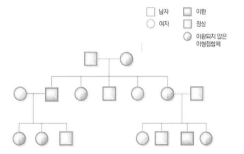

(11) 유약 X 증후군(Fragile X syndrome)

① Xq27.3에 위치한 FMR1 유전자의 CGG trip-
let repeats가 비정상적으로 증가하여 발생

② 남자에서 더 흔함

③ 정신지체의 주요 원인

    a. 유전성 정신지체의 가장 흔한 원인

    b. 다운증후군 다음으로 흔한 정신지체의 원인

    c. 남자에서 지능저하가 더 심함(평균 IQ
35~45)

④ 자폐증(autism), 대화와 언어장애, ADHD 발생

⑤ 신체적 특징

    a. 길고 좁은 얼굴에 큰 턱과 돌출된 귀

    b. 결합조직 이상, 큰고환증(macroorchidism)

Chapter 14 산전 진단

(1) 태아 염색체 선별검사와 진단검사

	선별검사		진단검사
	모체혈청 선별검사	태아DNA 선별검사	침습적 진단검사
검사 개요	태아 혹은 태반 유래의 단백질 분석	임신부 혈장내의 태아 DNA 분석	융모막융모, 양수, 태아조직 에서 태아 염색체 분석
채취 방법	임신부 혈액 채취	임신부 혈액 채취	침습적 시술
검사 질환	13, 18, 21 Trisomy, NTD	13, 18, 21 Trisomy, NTD, 성염색체 이상	염색체의 수적, 구조적 이상
다운증후군 발견율	쿼드검사 : 81%, 통합선별검사 : 94~96%	98~99%	99.9%
위양성률	5%	0.5% 이하	거의 없음
제한점	고위험 결과 시, 태아 DNA 선별검사 또는 침습적 진단검사 시행	고위험 결과 시, 침습적 검사 시행	시술로 인한 유산 위험률

(2) 모체혈청 알파태아단백(MSAFP)

① 태아 신경관결손의 선별검사로 사용
② 검사 시기 : 임신 15~20주
③ 고위험군 기준치 : 2.5 MoM(쌍태임신 : 3.5 MoM)

(3) 모체혈청 알파태아단백(MSAFP)의 증가 또는 감소

MSAFP 증가	MSAFP 감소
Underestimate gestational age	Overestimate gestational age
Multifetal gestation	Obesity
Fetal death, Cystic hygroma	Diabetes
NTD, abruption, Pre-E, FGR	Trisomy 21, Trisomy 18
Gastroschisis, Omphalocele	GTD
Esophageal or intestinal obst.	Fetal death
Liver necrosis, Renal anomaly	

(4) 모체혈청 알파태아단백(MSAFP)의 평가 알고리즘

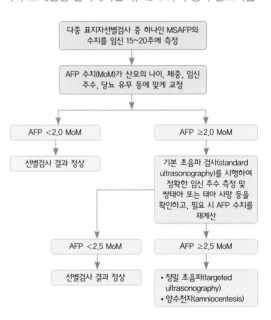

(5) 병합선별검사(Combined screening test)

① 목덜미투명대와 두 가지 혈청 물질을 함께 검사

  a. 모체혈청 물질 : hCG, PAPP-A

  b. 임신 제1삼분기 정밀 초음파 : 목덜미투명대(NT)

② 시기 : 임신 11~14주 사이

(6) 임신 제2삼분기 선별검사

① 시기 : 임신 16~18주(가장 적절, 15~22주도 가능)

② 검사

  a. Triple test : AFP, hCG, uE3

  b. Quad test : AFP, hCG, uE3, inhibin-A

  c. 초음파 검사 : 임신 주수의 확인

③ 검사 결과

  a. 다운증후군 : AFP, uE3 감소, hCG, inhibin-A 증가

  b. 에드워드증후군 : hCG, MSAFP 감소, uE3 감소

④ 제1삼분기에 선별검사를 시행하지 않았거나, 제2삼분기에 임신을 처음 알게 된 경우 quad test를 시행

(7) 양수천자(Amniocentesis)

검사 시기	• 임신 15~20주	
검사 목적	• 유전질환 진단	• 선천성 감염 확인
	• 폐성숙 평가	• 동종면역 진단
적응증	• 35세 이상의 임산부	
	• 염색체 이상 태아 분만의 과거력	
	• 부모 중 염색체 이상이 있는 경우	
	• 친척 중 다운증후군이나 염색체 이상이 있을 때	
	• 3번 이상의 자연유산 과거력	
	• 심각한 X 연관성 열성유전 질환의 위험성이 있는 임신에서 태아의 성별을 확인할 때	
	• 심각한 장애의 위험이 있는 임신에서 생화학적 연구를 위해	
	• 정기 선별검사상 산모의 혈청 AFP가 비정상적으로 높을 때	
합병증	• 바늘에 의한 태아의 손상, 태반 천공	
	• 감염, 융모양막염, 조기진통, 조기양막파수	
	• 유산 및 태아 소실	

(8) 융모막융모생검
  (Chorionic villus sampling, CVS)

검사 시기	• 임신 10~13주
검사 목적	• 생화학 및 분자 진단
	• 유전자 수준의 유전 질환을 진단
적응증	• 양수 또는 태반조직을 요구하는 일부 분석을 제외하고는 양수천자와 동일
금기증	• 질 출혈
	• 생식기 감염
	• 자궁의 전굴 또는 후굴이 과도한 경우
	• 자궁의 접근을 어렵게 하거나, 선명한 초음파 영상을 방해하는 신체조건을 가진 경우
	• Rh D 음성 비감작 임신부에서는 시술 후 72시간 안에 항D면역글로블린(anti-D Ig) 투여
합병증	• 태아 소실율은 임신중기 양수천자보다 높음
	• 사지변형 결함

(9) 태아채혈술(Fetal blood sampling)

검사 시기	• 임신 20주 이후
검사 목적	• 적혈구와 혈소판 동종면역의 진단과 치료
	• 태아 염색체 검사, 대사와 혈액학적 연구, 산염기 분석, 바이러스 배양, PCR 등

(1) 태아-모체 출혈(Fetomaternal hemorrhage, FMH)

① 모체에서 태아의 혈액이 30 mL 이상 나타나는 것

② 위험인자 : 외회전술, 복부외상, 태반조기박리, 전치태반, 자궁내태아사망, 제왕절개, 융모제거술, 양수천자

③ 태아로부터 모체로의 대량 출혈을 진단하는 방법

a. Kleihauer-Betke (KB) test

b. 유세포 분석(flow cytometry)

(2) 태아와 신생아 RhD 용혈성 질환의 예방

① 제제 : Rho (D) immune globulin (RhIG)

② 투여량 : RhIG 300 μg or 1500 IU, 근육주사 (IM)

③ 투여 시기 : RhD 음성, 미감작 산모에서 예방적 투여

a. 임신 28주, 신생아 RhD (+) 시 분만 72시간 이내

b. 태아-모체 출혈이 의심되는 경우

c. 유산, 포상기태 치료, 자궁외임신 치료, 양수천자 시, 자궁출혈이 있는 경우, 수혈 시

(3) 비면역성 태아수종
  (Nonimmune hydrops fetalis)의 원인

	진단을 위한 검사	가능한 원인
모체	Indirect Coombs test 전체혈구계산(CBC) 헤모글로빈 전기영동 화학검사 Kleihauer-Betke 검사 매독 및 TORCH 역가 초음파 검사(정밀 초음파) 태아 심초음파 검사(도플러, M-mode 포함) 경구 당부하 검사	면역성 태아수종 가능성 혈액질환 α-thalassemia 태아적혈구세포 효소결핍 태아-모체간 출혈 태아 감염 태아수종 확인 및 평가, 상태임신, 기형 유무 선천성 심장 결손, 태아 빈혈, 심장의 리듬 이상 모체 당뇨
양수 천자	태아 염색체 검사 양수배양 알파태아단백(AFP)	염색체 이상 거대세포바이러스 감염 선천성 콩팥증, 천미골 기형종
태아 혈액	특이적인 대사 검사 빠른 염색체 검사 배양검사, 혈청검사 태아 혈장 알부민 전체혈구계산, 혈소판수치, 아미노전이효소수치, 혈액가스분석	Gaucher병, Tay-Sachs병 등 염색체 또는 대사이상 자궁 내 감염 저알부민혈증 태아 빈혈, 혈소판 감소증

(4) 동종면역의 가능성이 있는 임신

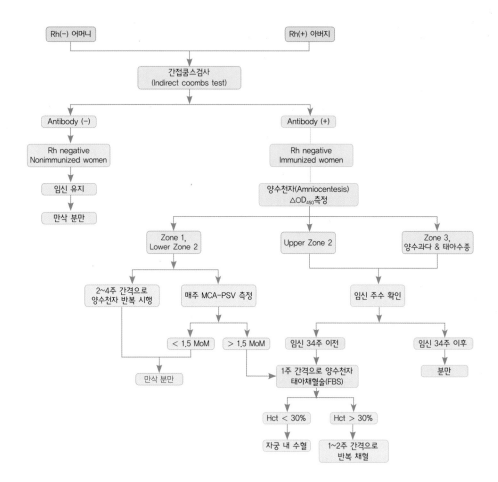

Chapter 16 태아 치료

내과적 태아치료	병태생리	치료 및 근거
태아 갑상샘저하증 (Fetal hypothyroidism)	갑상샘호르몬의 감소 또는 생성 차단으로 인해 TSH가 상승되어 태아 갑상샘종 유발	양수 내 thyroxine 주입 및 산모의 thyroxine 복용
상실성빈맥 (Supraventricular tachycardia)	심방심실 부경로(accessory AV pathway)가 있어서 유발되는 회귀성 빈맥	Digoxin, flecainide, amiodarone 등의 항부정맥약제를 산모가 복용하여 태반 통과 효과를 기대
심방조동 (Atrial flutter)	삼첨판륜과 하대정맥 사이에 있는 협부를 포함하는 우심방 내에 국한된 회귀 회로에서 전기가 지속적으로 심방 내를 돌게 되어 심방이 빨리 뛰는 부정맥	
완전 방실차단 (Complete AV block)	구조는 정상이면서 산모 자가 면역질환과 연관, 선천성 복합 심질환이 동반된 경우	β-adrenergic agonist Betamethasone, dexamethasone

수술적 태아치료	병태생리		치료 및 근거
후부요도판막 증후군 (Post. urethral valve syndrome)	하부요로폐쇄로 인해 발생하며 거대방광과 양수과소증을 유발	태아 단락술 (Shunt therapy)	방광과 양막강 내의 우회로로 신장 손상을 방지, 양수과소증에 의한 이차적 폐기능부전 방지
태아흉수(Pleural effusion)			폐형성부전 예방, 태아 심기능 향상
태아복수(Ascites)			횡격막 상승 방지, 폐형성부전 예방
낭성샘모양기형(CCAM)			폐형성부전 및 주변 장기눌림 완화
쌍태아 역동맥관류 연쇄 (TRAP sequence)	Pump twin의 high-output heart failure를 초래	고주파 융해술 (RFA)	펌프 쌍태아의 심부전 방지와 신경학적 손상 및 태아사망을 방지
일측 쌍태아의 선천성기형 (Discordant anomaly)			일측 쌍태아의 치명적 기형으로 양측 쌍태아의 자궁 내 사망을 방지 일측 쌍태아의 사망으로 인한 생존 쌍태아의 신경학적 손상 등을 방지
쌍태아 수혈증후군(TTTS) 일측 쌍태아의 자궁내발육지연 (Selective IUGR)			일측 쌍태아의 사망 시 발생하는 생존 쌍태아 자궁 내 사망 및 신경학적 손상을 방지
천미골기형종 (Sacrococcygeal teratoma)	AV shunting으로 인한 고박출심부전과 종양 인접 구조물들의 기능적 손상		종양 자체 또는 혈관단락으로 인해 야기되는 기능적 이상을 감소
쌍태아 수혈증후군 (TTTS)		태아경 (Fetoscopy)	태아경하 레이저응고술을 통해 태반혈관문합을 차단
선천성 횡격막탈장 (Diaphragmatic hernia)	복부장기가 흉강으로 탈장되어 폐형성부전과 폐고혈압 등을 야기		태아경을 이용한 태아 기도 폐쇄로 폐 용적을 증가시켜 폐형성부전 방지와 폐고혈압 감소를 도모
하부요로계 폐쇄 (Lower urinary tract obstruction)	하부요로폐쇄로 인해 발생하며 거대방광과 양수과소증을 유발		폐쇄된 부위를 뚫어줌으로써 신기능 손상을 방지하고, 양수과소증으로 인한 이차적 폐기능부전 방지

(1) 무반응성 비수축검사

(Nonreactive nonstress test)

① 태아 수면 주기를 고려하여 40분 이상 관찰
하여도 태아 심박수의 가속이 없는 경우

② 무반응성이 나타나는 경우

a. 가장 흔한 경우 : 태아의 수면주기

b. 장기간 지속되는 경우 : 태아의 산혈증, 저
산소증, 태아의 미성숙, 산모의 약물에 의
한 중추신경계 억제(진정제, 황산마그네
슘), 흡연 등

c. 무반응성의 위양성도는 50~60% 정도로
높음

d. 감별 방법 : 음향자극검사, 수축자극검사,
생물리학계수, 도플러 등 추가 검사 시행

(2) 종말 심박자궁수축도

(Terminal cardiotocogram)

① 검사 양상

a. 기저선의 진동폭이 5 bpm 미만

b. 가속이 없는 심박수(absent acceleration)

c. 자연 발생한 자궁수축으로 late deceleration
발생

② 주산기 매우 불량한 예후의를 태아 심박수
형태

③ 추가검사를 통해 위험도 및 분만 평가가 필요

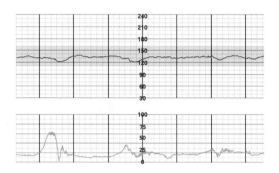

(3) NST 검사 간격

① 일반적으로 주당 1회 실시

② 고위험군 또는 태아 안녕상태가 의심스러울
경우에는 주당 2회 이상 실시(ACOG, 2016)

a. 지연임신(postterm pregnancy)

b. 다태아 임신(multifetal pregnancy)

c. 임신 전 당뇨, 제1형 당뇨(type I DM)

d. 태아성장제한(fetal growth restriction)

e. 임신성 고혈압, 전자간증(preeclampsia)

(4) 생물리학계수(Biophysical profile)

구성 요소	2점	0점
비수축검사 (nonstress test)	20~40분 간 관찰 시, 분당 15회 이상, 15초 이상 지속되는 태아 심박수 증가가 2회 이상 있을 때	태아 심박수 증가가 없거나 1회 있을 때
태아 호흡 (fetal breathing)	30분 간 관찰 시, 30초 이상 지속되는 율동성 호흡 운동이 1회 이상 있을 때	30초 미만으로 지속되는 호흡 운동이 있을 때
태아 운동 (fetal movement)	30분 간 관찰 시, 3회 이상의 몸통 혹은 사지의 구별 된 움직임이 있을 때	3회 미만의 움직임이 있을 때
태아 긴장성 (fetal tone)	30분 간 관찰 시, 사지를 뻗었다가 구부리는 운동이 1회 이상 있을 때	펴고, 구부리는 운동이 없을 때
양수량 (amnionic fluid volume)	서로 수직인 두 평면에서 각각 최소 2 cm가 넘는 양 수 포켓이 있을 때(2x2 cm pocket)	가장 큰 양수 포켓이 수직으로 2 cm 이하일 때

(5) 태아의 상태를 반영하는 표지자

   ① 급성 표지자(acute marker) : 태아 심박수, 태아 호흡, 태아 운동

   ② 만성 표지자(chronic marker) : 양수량

(6) 태아가사(fetal asphyxia) 시 생물리학계수의 소실 순서

   ① 태아 심박수 → 태아 호흡 → 태아 운동 → 태아 긴장성 → 양수량

   ② 태아 심박수 : 태아 저산소증에서 가장 먼저 비정상

(7) 생물리학계수(biophysical profile)의 판정 및 처치 권고안

생물리학계수 점수	판정	처치
10	정상, 비가사 상태	산과 처치 필요 없음, 1주 후 재검(당뇨와 과숙임신 시는 1주에 2회)
8/10(정상 양수량) 8/8(비수축검사 안함)	정상, 비가사 상태	산과 처치 필요 없음 계획대로 검사 반복
8/10(양수과소증)	만성 태아가사 의심	분만
6	태아가사 가능성	양수량이 비정상이면 분만 양수량이 정상이면, 36주 이후이고 자궁경부가 양호하면 분만 재검 시 6 이하면 분만 재검 시 6 초과면, 관찰 및 재검
4	태아가사 가능성 높음	당일 재검하여 6 이하면 분만
0~2	태아가사 거의 확실	분만

(8) 탯줄동맥 도플러 파형의 비정상 소견(abnormal UADV S/D ratio)

   ① 임신 주수의 95백분위수를 넘는 경우

   ② 이완기 혈류가 없거나(absent) 또는 역류(reversed) 된 경우

     a. 태반융모(placental villi)의 혈관형성 저하로 인해 발생

     b. 태아성장제한의 심한 경우에 나타남

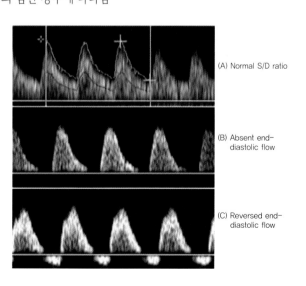

(A) Normal S/D ratio

(B) Absent end-diastolic flow

(C) Reversed end-diastolic flow

Chapter 18 유산

(1) 자연 유산의 확실한 진단

① CRL ≥7 mm and no FHB

② MSD ≥25 mm and no Embryo

③ G-sac - Y-sac → after ≥2 wks no Embryo with FHB

④ G-sac + Y-sac → after ≥11 day no Embryo with FHB

(2) 초음파에서 자궁 내에 임신낭이 보이지 않을 경우

① 정확한 임신 주수 다시 확인

② 질 출혈 동반 시 완전 유산의 소견일 수도 있으나 자궁외임신을 완전히 배제해야만 진단이 가능

③ hCG 1,500~2,000 mIU/mL인 경우 자궁 내 임신낭이 보이지 않으면 자궁외임신 고려

(3) 반복 유산의 검사 항목

필수 검사	도움이 되는 검사
부모의 염색체 검사 Lupus anticoagulant Anticardiolipin antibody Anti-$\beta2$-glycoprotein I antibody	Sonohysterography Hysterosalpingography Endometrial biopsy 프로게스테론 수치 확인 수태산물의 염색체 검사 과거력에 따른 혈액 검사

(4) 자궁경부부전증(Cervical insufficiency)

① 제2삼분기에 진통없이 자궁경부의 개대 및 소실

② 진단

a. 질경 검사 : 양막의 돌출과 핑크빛 분비물

b. 초음파 검사

- 짧아진 자궁경부 길이 : 2.5 cm 미만

- 자궁경부의 깔대기변화(funneling)

(5) 질식 자궁경부원형결찰술(Vaginal cerclage)

금기증	합병증
자궁 내 감염, 양막파수 진행되는 진통, 질 출혈 태아사망, 심각한 태아 기형	자궁 내 감염 양막파수, 조기진통 자궁 및 자궁경부 손상

(6) 응급 원형결찰술(Rescue cerclage)

① 자궁경부의 소실과 개대 + 양막 돌출이 동반

② 팽윤된 양막을 자궁 안으로 밀어 넣는 방법

a. 트렌델렌버그 위치(trendelenburg position) 방법

b. 방광 내 식염수 투입

c. 30 cc 폴리카테터 삽입

d. 스폰지집게를 이용 자궁강으로 밀어 넣는 방법

e. 치료적 양수천자를 이용한 양수감압술

(7) 임신 제2삼분기 유산 방법

① 프로스타글란딘 E1 (PGE1)

② 프로스타글란딘 E2 (PGE2)

③ 옥시토신(oxytocin)

④ 자궁경부 개대 및 제거술(D&E)

⑤ 자궁경부 개대 및 적출술(D&X)

(1) 자궁외임신의 진단

① 소변 임신검사 : 임신 의심 시 가장 먼저 시행
② β-hCG : 48시간 후 최소 66%, 보통 100% 증가
③ progesterone ≥25 ng/mL : 대부분 정상 임신

(2) 임신낭이 보여야하는 β-hCG 수치

① 질 초음파 : ≥1,500 mIU/mL
② 복부 초음파 : ≥6,500 mIU/mL

(3) 임신낭이 보이지 않는 경우 β-hCG 수치에
따른 처치

① 1,500~2,000 mIU/mL 이하인 경우
a. 정상 임신, 유산, 자궁외임신 등 모두 가능
b. 48시간 뒤 β-hCG와 초음파 재검사 시행
② 1,000~2,000 mIU/mL 이상인 경우
a. 자궁외임신의 가능성이 높음
b. 내과적 치료 or 복강경 or 추적관찰

(4) 자궁외임신의 난관절제술

① 파열 또는 파열되지 않은 자궁외임신 모두에
서 가능
② 적응증
- 불임의 과거력
- 임신력 보존을 원하지 않을 때
- 같은 곳에 2번 이상 자궁외임신이 되었을
때
- 난관 손상이 심할 때
- 조절되지 않는 출혈이 있을 때

(5) 자궁외임신의 내과적 치료

① 약제 : Methotrexate(MTX)
② 작용 기전 : 엽산 길항제로서 DNA 합성을 억제
③ 적응증

a. 자궁외임신이 확진 되거나 강하게 의심되
는 경우
b. 난관 파열이 되지 않은 경우
c. 혈역학적 안정상태(hemodynamically stable)
: 혈색소 및 간과 신장 기능 정상
d. 자궁외임신낭(ectopic mass) 크기 ≤3.5 cm
e. 태아 심장박동(fetal cardiac activity)이 없는
경우

(6) 내과적 치료의 금기증

절대 금기증(Absolute contraindications)
정상 자궁내임신
혈역학적으로 불안정한 경우
자궁외임신의 파열
모유 수유
면역결핍 상태
중등도에서 중증의 빈혈, 백혈구 감소증, 혈소판 감소증
Methotrexate에 대한 과민반응
활동성 폐 질환
활동성 위 궤양
임상적으로 중요한 간 또는 신장의 기능장애

상대 금기증(Relative contraindications)
자궁외임신낭 크기 >4 cm
태아 심장박동이 보이는 경우
내과적 치료의 추적관찰이 어려운 경우
초기 β-hCG 농도가 높은 경우 (>5,000 mIU/mL)
수혈을 거부하는 경우

(7) 지속 영양막(persistent trophoblast)의
위험인자

① 수술 유형에 따른 위험도 : fimbrial evacuation
> salpingotomy > salpingostomy > salpingectomy
② 자궁외임신낭이 작고, 임신 초기에 시행할수
록 위험성 증가
a. 초기 β-hCG <3,000 mIU/mL
b. 무월경 7주 이내
c. 자궁외임신낭의 크기 <2 cm

(1) 분만 단계를 조절하는 주요 인자

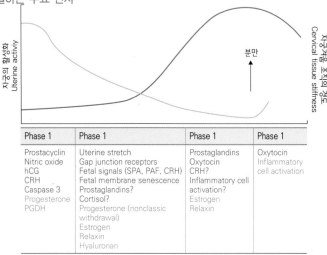

Phase 1	Phase 1	Phase 1	Phase 1
Prostacyclin Nitric oxide hCG CRH Caspase 3 Progesterone PGDH	Uterine stretch Gap junction receptors Fetal signals (SPA, PAF, CRH) Fetal membrane senescence Prostaglandins? Cortisol? Progesterone (nonclassic withdrawal) Estrogen Relaxin Hyaluronan	Prostaglandins Oxytocin CRH? Inflammatory cell activation? Estrogen Relaxin	Oxytocin Inflammatory cell activation

■ 자궁근육(myometrium)에 주로 작용
■ 자궁경부(cervix)에 주로 작용
■ 양쪽 모두에 작용

(2) 에스트로겐(Estrogen)

① 진통을 시작하게 하는 역할
② 프로게스테론 반응성을 증가
　　→ uterine quiescence
③ 임신 후반기에 자궁 활성화와 자궁경부의 숙화

(3) 프로게스테론(Progesterone)

① 진통을 억제하는 역할
② 자궁수축관련단백질 생산을 억제하여 자궁
　무활동(uterine quiescence) 상태를 유지

(4) 휴지기(Phase 1)

① 특성
　a. 마지막 월경 첫날부터 자궁이 활성화되기
　　전까지
　b. 임신 전체의 90% 이상을 차지

② 자궁근육 수용체에 작용하는 기전
　a. Endocrine : estrogen, progesterone
　b. Paracrine : relaxin, CRH, PGDH, oxytocinase
　c. Autocrine : PGE_2, PGI_2

(5) 준비기(Phase 2)

① 특성
　a. 자궁수축이 협조적으로 발생하게 되는 시기
　b. 임신 후반기, 임신 마지막 6-8주 동안의 시기
② 태아 부신에 대한 태반 CRH의 역할
　a. 태아 뇌하수체에서 분비되는 ACTH의 양
　　이 제한되어 있음에도 불구하고 태반
　　CRH가 태아 부신을 자극하여 DHEA-S와
　　cortisol 합성을 촉진
　b. 증가된 태아 cortisol은 양성 되먹임을 통해
　　다시 태반 CRH의 분비를 자극
　c. 증가된 태아 DHEA-S는 모체 E2를 증가

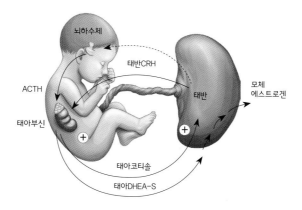

(6) 진통기(Phase 3)

① 분만진통 제1기의 자궁경부 개대에 따른 구분

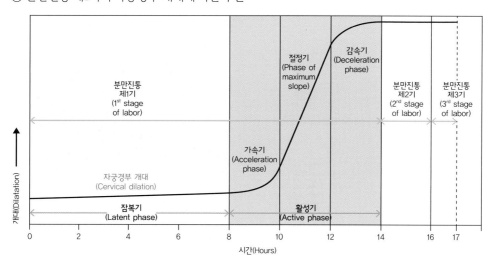

② 분만진통 제2기의 태아 하강

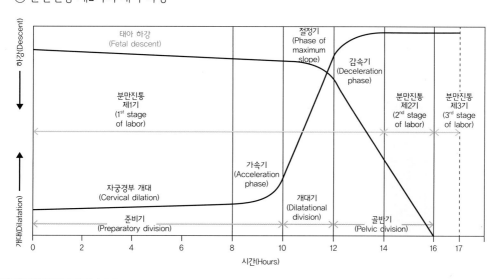

③ 분만진통 제3기

    a. 태아 분만 직후 시작되며 태반과 태아막의 만출되는 시기

    b. 태반 만출의 기전

Schultze mechanism	Duncan mechanism
– 태아측 표면이 먼저 나오게 되는 방법 – 태반 부착 부위의 출혈은 내번된 양막강 속에서 태반 만출이 완전히 이루어질 때까지 배출되지 않음	– 모체측 표면이 혈액과 함께 먼저 나오게 되는 방법 – 태반 분리가 변연에서 시작되어 혈액이 양막과 자궁벽 사이에 있다가 질을 통해 출혈이 보이게 됨

(7) 산욕기(Phase 4)

    ① 임신 중 변화되었던 자궁, 자궁경부 및 골반기관이 비임신 상태로 회복하는 기간

    ② 분만 후 약 6주 정도

21 정상 분만진통

(1) 태축(Fetal lie)

① 태아의 세로축과 모체의 세로축 간의 관계
② 종류 : 종축(longitudinal lie), 횡축(transverse lie), 사축(oblique lie)

(2) 태위(Fetal presentation)

① 선진부에 따라 태위가 결정
② 두위(cephalic presentation), 둔위(breech presentation), 견갑위(shoulder presentation), 복합위(compound presentation)

(3) 태향(Fetal position)

① 태아 선진부의 특정 부위와 산도 좌측 혹은 우측면과의 상호관계

② 태향 표시를 위한 태아 선진부의 기준 부위
  a. 두정위(vertex pre.) : 후두(occiput)
  b. 안면위(face pre.) : 턱(mentum, chin)
  c. 둔위(breech pre.) : 엉치뼈(sacrum)
  d. 견갑위(shoulder pre.) : 태아 견봉(acromion)

(4) 전방 후두위의 분만 기본운동

진입(Engagement) → 하강(Descent) → 굴곡(Flexion) → 내회전(Internal rotation) → 신전(Extension) → 외회전(External rotation) → 만출(Expulsion)

(5) 분만진통의 단계적 분류

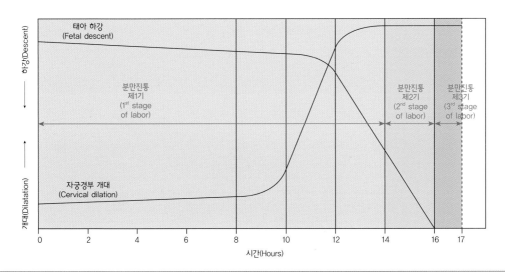

분만진통 제1기	분만진통 제2기	분만진통 제3기
- 자궁경부 소실 및 개대기 - 규칙적인 자궁수축에 의해 자궁경부의 소실과 개대 시작부터 완전 소실 및 개대까지의 시기	- 태아 만출기 - 자궁경부가 완전히 개대된 이후부터 태아가 만출될 때까지의 기간	- 태반 분리 및 만출기 - 태아가 만출된 직후부터 태반 및 태아막이 만출될 때까지의 기간

(6) 분만진통의 기능적 3분류

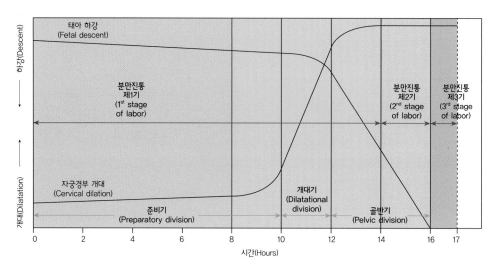

준비기(preparatory division)	개대기(dilatation division)	골반기(pelvic division)
– 자궁경부 결합조직의 성분 변화가 생김 – 안정제나 마취제에 예민한 시기로 투여 시 진통이 없어질 수 있음	– 자궁경부의 개대가 가장 신속하게 진행 – 안정제나 마취제에 영향을 받지 않는 시기	– 분만 기본운동이 일어나는 시기 – 임상적으로 개대기와 구별하기 어려움

(7) 자궁경부 개대를 기준으로 한 분류

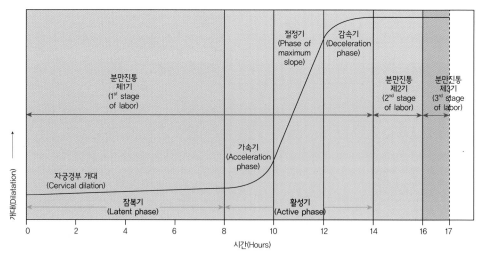

① 잠복기(latent phase)

    a. 규칙적인 자궁수축을 느끼는 시기로부터 자궁경부가 6 cm 개대될 때까지의 시기

    b. 잠복기 지연(prolonged latent phase) : 미분만부(nullipara) 20시간 이상, 다분만부(multipara) 14시간 이상

② 활성기(active phase)

구분	특성
가속기(acceleration phase)	자궁경부 개대가 활발히 시작되어 약 4 cm 정도까지의 시기
절정기(phase of maximal slope)	자궁경부 개대가 4~9 cm 정도까지의 시기 자궁경부 개대가 가장 신속하게 일어나는 시기(분만 진행의 효율성을 판단하는 좋은 척도)
감속기(deceleration phase)	자궁경부가 약 9 cm 정도 개대된 이후 그 진행이 둔화되는 시기 태아와 골반의 상호관계(fetopelvic relationship)를 반영

(8) 분만진통 제2기(Second stage of labor)

① 자궁경부의 완전 개대로 시작, 태아 만출 후 끝남

② 임산부는 출산 느낌(bearing down)과 변의를 느낌

③ 평균 시간

  a. 미분만부(nullipara) : 평균 50분(최대 2시간)

  b. 다분만부(multipara) : 평균 20분(최대 1시간)

④ 개인에 따른 차이가 다양

(9) 분만진통의 관리

① 진성진통(True labor)의 특징

  a. 만삭 자궁수축 + 양막파열, 이슬 + 자궁경부 소실

  b. 자궁수축 + 자궁경부 개대 3~4 cm

  c. 양막파열이나 출혈 없이 1시간에 5분 이하 간격의 자궁수축(≥12회/hr)

② 양막파열 : 육안적 진단, nitrazine test, AmniSure 등

③ 비숍(Bishop) 점수 : 자궁경부의 개대, 소실, 경도, 위치, 하강도를 종합하여 유도분만의 성공 여부를 예측

(10) 태아 심박동의 측정 간격

	정상 임산부	고위험 임산부
분만진통 제1기	최소 30분	최소 15분
분만진통 제2기	최소 15분	최소 5분

(11) 분만진통 중 임산부의 감시 및 처치

① 산모의 활력 징후(vital sign)

  a. 혈압, 체온, 맥박, 호흡 : 4시간 간격으로 측정

  b. 1시간마다 체온을 측정해야 하는 경우

   - 진통 시작 수시간 전에 양막이 파열된 경우

   - 체온이 약간 상승한 경우

  c. 양막파열 18시간 이상 : GBS 예방을 위한 항생제

② 질 내진

  a. 자궁경부의 상태, 태아 하강도와 선진부의 위치 확인을 위해 2~3시간 간격으로 시행

  b. 머리가 진입되지 않은 상태에서 양수가 파열된 경우 즉시 내진하여 탯줄 압박이 있는지 확인하고 다음 수축 동안 태아 심박동 측정

  c. 질 입구를 소독한 후 소독된 장갑을 이용

   - 수용성 윤활제를 사용

   - 소독제로 iodine, hexachlorophene 약품은 피함

(12) 양막파열(Rupture of membranes)

① 장점

  a. 진통이 빨라짐

  b. 태변 착색 유무를 조기에 발견 가능

  c. 태아 심박동을 직접적으로 측정하기 위해 태아 두피에 전극 연결 가능

  d. 자궁내압측정카테터의 삽입 가능

② 단점 : 탯줄 탈출, 감염

Chapter 22 비정상 분만진통

(1) 자궁기능장애(Uterine dysfunction)

		저긴장 자궁기능장애 (Hypotonic uterine dysfunction)	고긴장 자궁기능장애 (Hypertonic uterine dysfunction)
정의		자궁수축은 정상적인 변화의 양상 수축력이 미약(≤15 mmHg)하여 자궁경부를 개대시키기에 불충분한 경우	자궁의 기저강도(basal tone)가 상당히 올라가 있거나 압력경도(pressure gradient)에 장애가 생긴 경우 수축하는 힘은 적당하나 수축의 양상이 불규칙하고 비정상적
원인		동시성(Synchronous) • 원인 불명 • 골반협착, 태아 위치이상, 과도한 진정제 투여 • 자궁의 과신전 : 쌍태아, 양수과다증 • 과도한 자궁경부의 경도 : 고령, 미분만부, 경부 섬유화	비동시성(Asynchronous) • 자궁중간부의 수축력이 자궁저부보다 높을 때 • 양쪽 각에서 기시하는 전기적 자극이 완전히 부조화를 이루는 경우
치료		Oxytocin 제왕절개분만	통증 경감 : morphine, meperidine 자궁수축억제제 : ritodrine, salbutamol 위 방법으로 실패 시 제왕절개분만

(2) 분만진통 장애의 진단 기준 및 치료 방법

Labor pattern	Diagnostic Criteria		Preferred treatment	Exceptional treatment
	Nulliparas	Multiparas		
Prolongation Disorder				
Prolonged latent phase	>20 hr	>14 hr	Bed rest	Oxytocin or Cesarean delivery for urgent problems
Protraction Disorders				
Protracted active phase dilation	<1.2 cm/hr	<1.5 cm/hr	Expectant and support	Cesarean delivery for CPD
Protracted descent	<1 cm/hr	<2 cm/hr		
Arrest Disorders				
Prolonged deceleration phase	>3 hr	>1 hr	Evaluate for CPD CPD : Cesarean No CPD : Oxytocin	Rest if exhausted Cesarean delivery
Secondary arrest of dilation	>2 hr	>2 hr		
Arrest of descent	>1 hr	>1 hr		
Failure of descent	No descent in deceleration phase or second stage			

(3) 정지장애(Arrest disorder)

① 정지장애 진단을 위한 조건
   a. 잠복기가 확실히 끝나고 활성기에 들어가 있는 상태일 때(자궁경부 개대 ≥4 cm)
   b. 자궁수축력이 10분 당 200 MVUs 이상이면서 2시간 이상 자궁경부 변화가 없을 때

② 부적절한 자궁수축
   a. 자궁수축력이 10분 당 180 MVUs 미만인 경우
   b. 옥시토신 촉진(augmentation)을 시행

(4) 과도한 제왕절개를 줄이기 위한 6 cm 법칙

① Prolonged latent phase : 제왕절개 적응증이 아님
② Protraction disorder : 자궁수축력을 평가
③ 활성기(active phase) : 자궁경부 개대 6 cm 부터
④ 정지장애(arrest disorder)로 인한 제왕절개는 양막이 파열되고 자궁경부 개대 6 cm 이상이면서 4시간 이상 적절한 자궁수축이 있음에도 분만이 진행되지 않거나, 최소 6시간 이상 옥시토신을 투여해도 반응이 없을 때 고려

(5) 분만진통의 적극적 처치

① 양막파수가 안되어 있는 경우
　a. 1 cm/hr 이상의 경부 개대 없으면 양막파수 시행
　b. 양막파수 2시간 후에도 진행이 부진하면 고용량의 옥시토신을 사용
② 양막파수가 되어 있는 경우 : 1 cm/hr 이상의 자궁경부 개대가 없으면 옥시토신을 사용

(6) 급속 분만진통 및 분만

① 진통 시작 후 3시간 이내에 분만이 완료
② 산모에 미치는 영향
　a. 자궁경부 소실이 잘 되어 있고 골반조직 저항이 낮은 경우 : 합병증이 거의 없음
　b. 과도한 자궁수축에 의해 급속분만이 일어난 경우
　　- 자궁경부, 질과 회음부의 열상, 자궁파열
　　- 분만 후 자궁이완(uterine atony) → 산후출혈
　　- 양수색전증
③ 태아에 미치는 영향
　a. 주산기 이환율 증가 : 강력하고 빈번한 자궁수축으로 인해 자궁 혈류 감소, 태아 저산소증
　b. 태아의 두부, 위팔신경(brachial plexus) 손상, 낙상

(7) 안면위(Face presentation)

① 목이 극도로 신전되어 후두와 등이 맞닿는 자세
② 선진부 : 턱(mentum, chin)
③ 원인
　a. 골반협착(contracted pelvis) : 가장 흔한 원인
　b. 다산 분만력, 태아의 목이 너무 큰 경우, 탯줄이 목을 감고 있는 경우, 무뇌아, 태아가 많이 큰 경우
④ 처치
　a. 골반협착이 없고 효과적인 분만진통이 있을 경우 성공적인 질식분만이 가능
　b. 만삭의 안면위는 주로 골반입구의 협착이 흔하기 때문에 제왕절개술을 흔히 시행

(8) 이마태위(Brow presentation)

① 태아의 머리가 부분적으로 신전되어 있는 자세
② 선진부 : 이마(brow)
③ 원인
　a. 안면위의 원인과 유사
　b. 골반협착, 다산 분만력, 태아의 목이 너무 큰 경우, 탯줄이 목을 감고 있는 경우, 무뇌아, 태아가 많이 큰 경우 등
④ 처치
　a. 태아가 작거나 골반이 크면 질식분만 가능
　b. 대부분의 경우 태아 머리의 진입과 정상적인 분만이 힘듦

(9) 횡축(Transverse lie)

① 임신부 자궁의 세로축에 대해 태아의 세로축이 90°의 각도를 이루고 있는 상태
② 원인
　a. 다산 분만력에 의한 복벽 이완
　b. 조산, 전치태반, 자궁 기형, 양수과다증, 골반협착

③ 처치

    a. 분만진통이 오기 전에 태아 외회전술 (external version)을 시행해 볼 수 있음

    b. 만삭에도 횡위가 지속적으로 유지되면 질식분만은 불가능

      - 분만진통이 시작되면 제왕절개분만 자궁에 수직절개(vertical incision)를 시행하는 것이 태아 만출에 용이

(10) 병적 수축륜(Pathologic retraction ring)

① 자궁하부가 심하게 얇아져서 생리적 수축륜이 비정상적으로 치골결합 상방으로 이동하면서 매우 심화되어 나타나는 것

② 자궁파열 임박의 위험징후 → 즉시 제왕절개

Chapter 23 분만진통 중 건강평가

(1) 태아 심장박동수(Fetal heart rate)

  ① 임신 제3삼분기의 정상 심장박동수 : 120~160 bpm

    a. 평균 태아 심장박동수는 태아가 성숙하면서 감소

      - 부교감 신경(parasympathetic n., vagus n.) 성숙

      - 임신 16주에서 만삭까지 평균 24회 감소

    b. 태아 심장박동수의 의미

      - 정상인 경우 : 산소 공급이 원활하고 안심할 수 있는 태아 상태를 의미

      - 비정상인 경우 : 저산소증 혹은 다른 여러 원인에 의한 이상소견

  ② 서맥(bradycardia) : baseline FHR <110 bpm

  ③ 빈맥(tachycardia) : baseline FHR >160 bpm

(2) 박동 대 박동 변이도(Beat-to-Beat variability)

  ① 단기 변이도(short-term variability) : 태아 심장박동수에서 하나의 박동(R-peak)으로부터 다음 박동으로의 즉각적인 변화

  ② 장기 변이도(long-term variability) : 1분 정도간 나타나는 태아 심장박동수의 주기적인 변화

(3) 기초 태아 심장박동수 변이도의 증가와 감소

변이도가 증가하는 경우
태아 호흡, 태아가 움직일 때
기초 태아 심장박동수의 감소
임신 주수의 증가
Terbutaline 투여
초기 경도의 태아 저산소증

변이도가 감소하는 경우
임신 30주 이후 태아의 비활동 상태
기초 태아 심장박동수의 증가
분만 중 진통제, 진정제, 마취제 투여
황산마그네슘(MgSO₄) 투여
만성태아가사(chronic fetal asphyxia)

변이도가 소실되는 경우
산모 또는 태아의 대사성 산혈증
산모의 당뇨병성 케톤산증
태아의 신경손상

(4) 굴모양곡선 태아 심장박동수(Sinusoidal FHR)

  ① 태아 저산소증과 강력한 연관(태아 빈혈의 전조)

  ② 원인

    - Rh-D 동종면역, 심한 태아 빈혈

    - 전치혈관(vasa previa)의 파열, 양막염, 태아 가사, 탯줄 폐쇄

    - 약물 : meperidine, morphine, alphaprodine

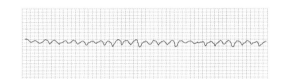

(5) 이른 태아심장박동수감소(Early deceleration)

  ① 자궁수축 시작 시 태아 심장박동수 감소가 나타나고, 심장박동수 감소의 시작, 최저점, 회복이 자궁수축의 시작, 최고치, 종결시기와 일치하는 형태

  ② 원인

    a. 자궁수축 시 태아 머리가 압박 → 경막 자극으로 미주신경(vagus n.)이 활성화되어 발생

    b. 태아 저산소증, 산혈증, 낮은 아프가와 연관 없음

  ③ 처치

    - 내진으로 자궁경부 상태, 선진부, 탯줄 탈출을 확인

    - 산모를 옆으로 누인 뒤 감시 시행

    - Atropine 투여, 심한 경우, 태아두피혈액 pH 측정

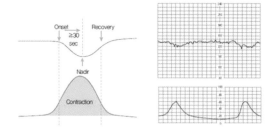

(6) 늦은 태아심장박동수감소(Late deceleration)

① 자궁수축이 최고에 도달 후 태아 심장박동수 감소가 나타나고, 심장박동수 감소의 시작, 최저치, 회복이 자궁수축의 시작, 최고치, 종결보다 늦게 나타나는 형태

② 원인

  a. 자궁태반기능저하(uteroplacental insufficiency)

  b. 경막외마취에 의한 산모의 저혈압

  c. 옥시토신 사용으로 인한 과도한 자궁수축

③ 처치

  a. 좌측와위자세(left lateral decubitus position)

  b. 옥시토신 주입 중단, 자궁수축억제제 투여

  c. 산소 및 수액 공급

  d. 교정이 되지 않으면 즉시 제왕절개 시행

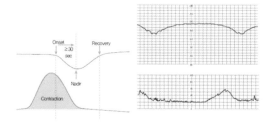

(7) 다양성 태아심장박동수감소 (Variable deceleration)

① 심장박동수 감소는 시작과 최고점 사이의 시간 간격이 30초 미만으로 갑작스럽게 나타나고, 분당 15회 이상 감소하며, 감소시간은 최소 15초 이상, 최대 2분 이하인 경우

② 분만진통 중 가장 흔한 심장박동수의 감소 양상

③ 원인 : 탯줄 압박이나 탯줄 내 혈류의 억제

④ 처치

  - 즉시 내진으로 탯줄 압박 여부를 확인

  - 탯줄 압박 시 즉시 제왕절개 실시

  - 탯줄 압박이 없을 시 : 산모 체위 변경, 변경 후에도 계속 발생하면 태아두피혈액을 채취하고 pH <7.2로 확인되면 즉시 제왕절개 실시

(8) 지속성 태아심장박동수감소 (Prolonged deceleration)

① 심장박동수 감소의 시작과 최저점까지 시간이 30초 이하인 급격한 심장박동수 감소가 나타나고, 최소 분당 15회 이상 감소하며, 감소 시작부터 복귀까지의 시간이 2분 이상, 10분 이하인 형태

② 원인

  a. 과도한 자궁수축, 내진, 탯줄 꼬임, 앙와위에 의한 저혈압, 경막외마취, 척추마취에 따른 저혈압

  b. 기타 : 태반조기박리, 탯줄 탈출, 탯줄 꼬임, 자간증 경련, 태아두피에 전극의 삽입, 분만이 임박한 경우, 모체의 발살바기법

③ 처치 : 임상적 상황에 따른 처치

(9) 안심할 수 없는 태아 상태 (Nonreassuring fetal status)

Category III : 비정상(Abnormal)
아래 중 어느 하나에 해당하는 경우 　- 무변이도(absent baseline FHR)를 보이면서 다음 중 어느 하나에 해당하는 경우 　　• Recurrent late decelerations 　　• Recurrent variable decelerations 　　• Bradycardia 　- 굴모양곡선 양상(sinusoidal pattern)을 보이는 경우

(10) 안심할 수 없는 태아 상태의 처치

① 산모를 측와위로 눕힘
② 자궁과 태반의 혈류 증가를 위해 수액을 늘리고, 안면 마스크로 10 L/min. 산소 공급
③ 자궁수축제 투여를 중지하고 빈수축을 교정
④ 내진 시행
⑤ 경막외마취를 했을 경우 산모의 저혈압을 교정
⑥ 지속적인 태아 심장박동수 감시 시행
⑦ 응급제왕절개술을 대비하고 마취과 및 간호인력에게 연락을 취함
⑧ 신생아 전공 소아과 의사를 대기시킴

Chapter 24 산과마취

(1) 음부신경 마취(Pudendal nerve block)

① 목적 : 통증없이 회음절개술(episiotomy)을 시행
② Landmark : Ischial spine
③ 합병증
　a. 경련 : 국소마취제의 정맥 주입으로 전신 중독증을 일으켜 전신 경련을 초래
　b. 혈관 천공에 의한 혈종의 형성
　c. 주사 부위의 염증

(2) 척추마취(Spinal or Subarachnoid anesthesia)

① 지주막하공간(intra-thecal space)에 소량의 국소마취제나 아편유사제를 척수강 내로 일회 주입
② 합병증
　a. 저혈압(hypotension)
　　- 교감신경 차단 → 혈관 확장, 심박출량 감소
　　- 수액공급, 좌측와위, ephedrine, phenyl-ephrine
　b. 경막천자 후 두통(postdural puncture head-ache)
　　- 천자된 경막을 통한 뇌척수액 누출로 뇌압감소
　　- 진통제, 수액공급, 침상안정 등을 24시간 실시
　　- 경막외 혈액봉합술(epidural blood patch, EBP)
　c. 전척추마취, 경련, 발열, 허리통증, 신경증상 등

(3) 경막외마취(Epidural anesthesia)

① 장점
　a. 산모의 혈중 카테콜아민(catecholamine) 농도를 감소시켜 탯줄의 혈류량이 증가
　b. 통증으로 인한 산모의 과호흡-저호흡의 악순환을 완화
　c. 심장병의 과거력, 전자간증, 고혈압 등이 있는 임산부의 합병증 감소
　d. 질식분만을 시도하다가 제왕절개술로 이행 시 수술을 위한 마취 방법으로 사용 가능
② 합병증 및 금기증

합병증	금기증
- 저혈압(m/c) - 비효과적인 통증조절 - 부적절한 마취 높이 - 산모의 발열, 허리 통증	- 산모의 저혈압 - 산모의 혈액응고장애 - LMW heparin 투여 중 - 산모의 패혈증 - 바늘 삽입 주위의 피부감염 - 종양에 의한 뇌압 상승 - 산모의 질환 : 심한 전자간증, 자간증, 임신부의 폐고혈압이나 대동맥협착

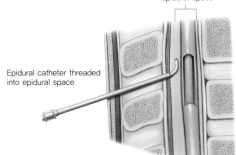

Epidural space

Epidural catheter threaded into epidural space

(4) 전신마취(General anesthesia)

① 마취제의 종류
　a. 흡입 마취제 : N_2O, isoflurane, halothane
　b. 정맥 마취제 : thiopental, ketamine
② 합병증
　a. 흡인성 폐렴(aspiration pneumonia)
　　- 위 내용물의 흡인에 의한 폐렴
　　- 산과마취 사망의 가장 흔한 원인
　　- 치료 : 흡입(suction) & 기관지경(bron-choscopy), 산소 공급 & 기계환기, 항생제
　b. 각성(awareness)

Chapter 25 분만의 유도와 촉진

(1) 유도 분만의 적응증

임신의 유지보다 분만이 이득인 경우

- 진통이 없는 조기양막파수
- 양수과소증(oligohydramnios)
- 임신성 고혈압
- 산모의 만성 고혈압, 당뇨
- 지연임신(postterm pregnancy)
- 융모양막염(chorioamnionitis)
- 안심할 수 없는 태아 상태(nonreassuring fetal status)
- 태아성장제한(fetal growth restriction)
- 동종면역(alloimmunization)
- 자궁 내 태아사망(intrauterine fetal demise)

(2) 유도분만의 금기증

산모측 요인	태아측 요인
- 고식적 제왕절개, 자궁근육층을 포함한 자궁수술 과거력	- 거대아
- 전치태반 또는 전치혈관	- 심한 태아수두증
- 산모의 협골반	- 비정상태위
- 활성기 생식기 헤르페스	- 안심할 수 없는 태아 상태
- 자궁경부암	

(3) Bishop 점수 및 의미

점수	경부개대 (cm)	경부소실 (%)	태아 하강도	경부 견고성	경부 위치
0	Closed	0~30	-3	Firm	Post.
1	1~2	40~50	-2	Medium	Mid.
2	3~4	60~70	-1	Soft	Ant.
3	≥5	≥80	+1, +2		

① 4점 이하인 경우 : 자궁경부의 숙화가 덜 된 상태(자궁경부 숙화의 적응증)
② 5~8점인 경우 : 자궁경부의 숙화가 중간 정도
③ 9점 이상인 경우 : 성공적인 유도분만 예측 가능
④ 자궁경부의 개대(dilatation) : 분만에 필요한 시간 예측에 가장 좋은 인자

(4) 자궁경부 숙화(Ripening)의 약물적 방법

① Prostaglandin E2 (PGE2)
  a. 합성 PGE2 : Dinoprostone
  b. 부작용 : 자궁의 빈수축(uterine tachysystole)
  c. 금기증
    - PGE2에 대한 과민반응 과거력
    - 태아곤란증 또는 머리-골반 불균형 (CPD)
    - 설명할 수 없는 질 출혈
    - 옥시토신을 투여 중인 경우
    - 6회 이상의 만삭 출산력이 있는 경우
    - 이전 제왕절개 or 자궁근육을 포함한 수술
② Prostaglandin E1 (PGE1)
  a. 합성 PGE1 : Misoprostol(상품명 : cytotec)
  b. 투여 용량
    - 질좌제 투여 : 25 µg
    - 경구 투여 : 100 µg

(5) 옥시토신(Oxytocin)

① 용도
  a. 유도(induction) : 자연진통 시작 전 수축을 자극
  b. 촉진(augmentation) : 자연진통이 미약하여 진행되지 못할 때 자궁수축을 자극
② 약물을 중단해야 하는 경우
  a. 자궁수축이 ≥6회/10 min. or ≥8회/15 min. 지속
  b. 지속적인 태아 심장박동수의 이상
③ 위험성
  a. 강한 항이뇨작용(antidiuretic effect) : 20 mU/min 이상 주입 시 신장의 유리수분제 거율이 감소

b. 옥시토신과 다량의 수분을 주입할 때 수
   분중독으로 경련, 혼수상태, 사망 등 발생
   가능
c. 폐부종(pulmonary edema) 발생 시 : 옥시토신
   중단 + 이뇨제(diuretics) 투여

Chapter
26 질식분만

(1) 리트겐 수기법(Ritgen maneuver)

① 머리가 외음부와 회음부를 밀어 질개구부가 5 cm 이상 되었을 때 시행.

② 장갑 긴 한 손에 타올을 씌워 항문을 막으며 꼬리뼈 바로 앞 회음부를 통해 태아의 턱을 앞쪽으로 당기며 압박을 주고 다른 손은 두정부에서 위쪽으로 압박

③ 머리의 신전을 도와 가장 작은 직경으로 분만

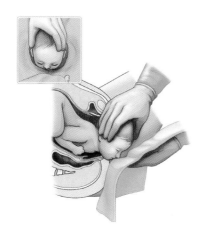

(2) 견갑난산(Shoulder dystocia)

① 태아 어깨의 분만에 정상적인 하방 견인이 효과적이지 못한 경우

② 산모의 합병증 : 자궁이완증, 열상에 의한 산후출혈

③ 신생아 합병증
  a. 위팔신경마비(brachial plexus injury)
  b. 쇄골 골절, 상완골 골절
  c. 대사성 산증, 심폐소생술, 저산소증뇌장애

④ 위험인자
  a. 태아 체중 증가 : 산모의 비만, 다산, 과숙, 당뇨병
  b. 이전의 견갑난산 과거력

(3) 견갑난산 시 시도해 볼 수 있는 방법

① 치골상부 압박(suprapubic pressure)

② McRoberts 수기법(McRoberts maneuver)

③ 기타 : 뒤쪽 어깨 분만법, Woods maneuver, Rubin maneuver, all-fours maneuver, Zavanelli maneuver 등

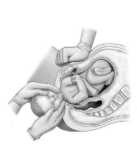 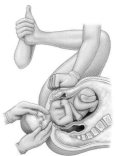

치골상부 압박   McRoberts 수기법

(4) 산도의 열상

열상 정도	손상 범위
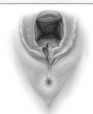 1도 열상	• 음순소대(fourchet), 회음부 피부(perineal skin) 및 질 점막 손상 • 하방의 근막이나 근육은 손상되지 않은 경우
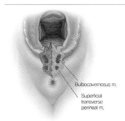 Bulbocavernosus m. Superficial transverse perineal m. 2도 열상	• 1도 열상 + 회음체(perineal body)의 근막과 근육 손상 • 직장괄약근은 침범되지 않은 경우 • 상부로 진행되어 일측 또는 양측의 불규칙한 삼각형의 열상 초래

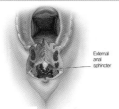

3도 열상

- 2도 열상 + 항문괄약근의 열상
- 직장까지 확장되지 않은 경우

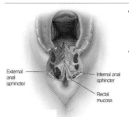

4도 열상

- 3도 열상 + 직장 점막(rectal mucosa)이 손상되어 직장강(rectal lumen)의 노출
- 요도 열상이 일어나 출혈이 많을 수 있음

Chapter 27 둔위분만

(1) 둔위의 분류

진둔위(frank breech pre.)　　완전둔위(complete breech pre.)

(2) 둔위의 분만

① Mauriceau maneuver

② modified Prague maneuver

③ 기타 : forcep delivery, cervix incision, Zavanelli maneuver, symphysiotomy

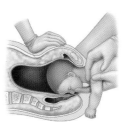 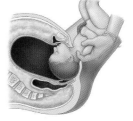

Mauriceau maneuver　　Modified Prague maneuver

(3) 외회전술(External cephalic version)

① 시기 : 임신 37주에 도달하고, 진통이 시작되기 전

② 금기증 : 전치태반, 다태아 임신, 최근의 자궁출혈

Chapter 28 수술적 질식분만

(1) 겸자분만

필요 조건

- 골반 외상 과거력으로 임산부 골반 평가가 어려운 경우
- 내진상 골반이 부적절한 경우
- 태아 머리의 위치를 잘 모르는 경우
- 거대아인 경우
- 자궁경부가 완전히 열리지 않은 경우
- 다양한 겸자의 종류와 사용법을 잘 모르는 경우

금기증

- 겸자분만의 조건들을 충족시키지 못한 경우
- 완전 개대 전에 분만이 시급한 경우

모체측 손상	태아측 손상
- 열상, 요실금, 변실금 - 골반장기탈출증, 산후출혈	- 겸자자국, 신경손상, 눈손상 - 두혈종, 두개내출혈

(2) 흡입분만

적응증

- 임산부가 지친 경우
- 분만진통 제2기의 지연
  - 미분만부
    부위마취를 했을 때 : ≥3 hrs
    부위마취를 안 했을 때 : ≥2 hrs
  - 다분만부
    부위마취를 했을 때 : ≥2 hrs
    부위마취를 안 했을 때 : ≥1 hr
- 내과적 질환이 있는 임산부의 분만진통 제2기를 단축 목적

필요 조건

- 겸자분만과 적응증, 필요 조건이 동일

금기증

- 안면위, 비두정태위
- 극도의 미숙아(임신 34주 미만), 거대아
- 태아 혈액응고장애
- 경험 미숙, 태향을 확인 불가능, 하강도가 높은 경우
- 최근 두피에서 혈액을 채취한 경우
- 머리-골반 불균형이 의심스러운 경우

모체측 손상	태아측 손상
- 자궁경부 열상, 회음부 열상 - 질혈종	- 두피 열상과 좌상 - 두혈종, 건막하출혈 - 두개내출혈, 황달, Erb 마비

(3) 흡입분만과 겸자분만의 합병증 비교

겸자분만에서 증가	흡입분만에서 증가
• 모체의 손상, 출혈 • 회음부 열상 및 출혈 • 신생아 눈손상, 안면신경 손상	• 태아 손상 • 신생아 두혈종, 망막출혈 • 신생아 황달

Chapter 29 제왕절개분만과 산후 자궁절제술

(1) 제왕절개술의 적응증

가장 흔한 적응증

- 이전 제왕절개 : 반복 제왕절개의 가장 흔한 원인
- 난산(dystocia) : 초회 제왕절개의 가장 흔한 원인
- 태아의 위치 이상 : 둔위 혹은 횡위
- 태아곤란증(fetal distress)

그 밖의 적응증

- 자궁근종절제술 같은 자궁수술의 과거력
- 전치태반(placenta previa)
- 태아 안녕 위협 : 탯줄탈출, HIV산모, 활동성 생식기헤르페스

(2) 임산부가 원해 시행하는 제왕절개술의 주의사항

① 태아 폐성숙이 확인되지 않는 한 선택 제왕절개는 임신 39주 전에 시행하지 않음
② 반드시 임산부와 보호자에게 다음 임신 시 자궁파열, 반복 제왕절개에 따른 합병증, 전치태반과 유착태반의 위험성이 증가함을 설명
③ 여러 명의 자녀를 원하는 경우 전치태반, 유착태반의 위험 때문에 피함
④ 효과적인 통증 조절을 할 수 없어서 제왕절개술을 시행하면 안 됨

(3) 제왕절개 시 감염의 예방

① 예방적 항생제
  a. 투여 시기 : 수술 시작 전 60분 이내
  b. Cefazolin 또는 Ampicillin, 1 g, 1회, 정맥 투여
  c. MRSA 과거력 산모 : 표준 항생제 + Vancomycin
  d. Penicillin 또는 Ceph. 알러지 산모 : Clinda + AG
② 다른 예방법
  a. 수술 전 복부 소독 : Chlorhexidine 또는 Povidone
  b. 수술 중 정상체온 유지
  c. 기타 : 혈당 조절, 금연 등

(4) 태반 만출 및 자궁내부 확인

① 탯줄에 일정한 힘을 가하며 자발적 태반 분만을 기다림(산후 자궁내막염의 위험 감소)
② 태아 분만 후 빨리 자궁저부 마사지를 하면 출혈이 줄고, 태반의 분만이 촉진
③ 태반 분만 후 자궁 안을 살피고 남아있는 막이나 태지, 핏덩어리 등을 제거

(5) 수술 후 합병증

① 자궁내막염(endometritis) : 가장 흔함
② 상처 감염(wound infection)
③ 골반혈전정맥염(septic pelvic thrombophlebitis)
④ 위장관계 합병증(GI tract complication)
⑤ 심부정맥혈전증(deep vein thrombosis) : 일측 하지의 부종과 동통, 압통 등의 증상
⑥ 폐색전증(pulmonary embolism) : 빈맥, 빈호흡, 흉통, 발한 등의 소견이 동반

(6) 산후 자궁절제술(Postpartum hysterectomy)의 적응증

① 유착태반, 자궁이완증에 의한 출혈 : 가장 흔한 원인
② 기타 : 자궁파열, 자궁혈관 열상, 자궁근종, 자궁내감염, 자궁경부암 등

Chapter 30 선행 제왕절개분만

(1) 제왕절개술 후 질식분만의 적응증

① 이전의 자궁절개(prior uterine incision)

    a. 한번의 자궁하부 가로절개 수술 : 가장 위험 낮음

    b. 고전적 절개와 T자형 절개 : 가장 위험

    c. 하부 수직절개(low vertical incision) : 시도 가능

② 이전의 자궁파열 : 진통 시 자궁파열 위험 증가

③ 분만 사이의 간격 : 간격이 멀수록 파열 위험 감소

④ 질식분만의 과거력이 있는 경우 성공 가능성 증가

⑤ 선행 제왕절개술의 적응증이 둔위인 경우

(2) VBAC의 자궁경부 숙화 및 분만진통 자극

① PGE₁ (misoprostol) : 금기

② Oxytocin, PGE₂ (dinoprostone) : 주의 깊게 사용 가능

③ Prostaglandin에 이어 oxytocin을 사용하는 경우 자궁파열 위험이 3배 증가

(3) 자궁파열의 진단

① 안심할 수 없는 태아 상태

    a. 태아 심장박동수 이상 : 진단에 가장 중요한 소견

    b. 갑작스러운 variable deceleration : 가장 흔한 소견

    c. Late deceleration, bradycardia, 태아 심박동 소실

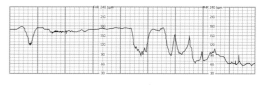

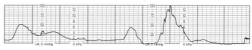

② 태아 선진부의 소실, 자궁수축의 소실

③ 복부의 통증 및 압통, 혈량저하증(hypovolemia)

Chapter 31 신생아

(1) 분만 직후의 신생아 처치

① 분만 전과 중에 신생아 안녕상태에 대해 고려
② 위험요인이 있는 경우 신생아 전문 의료진 참여
③ 신생아 머리 분만 즉시 얼굴을 닦고 입과 코를 흡인
④ 탯줄 자른 후 머리를 낮추고 보온 및 몸을 닦아 줌
⑤ 호흡이 불규칙하면 기도 분비물을 흡인하고, 발바닥을 가볍게 때리거나 등을 문질러 호흡을 자극
⑥ 계속 호흡을 못하는 경우, 적극적인 소생술을 실시

(2) 양압 환기 및 기관내삽관의 적응증

양압 환기의 적응증

- 첫 처치 완료 후 시행한 평가에서 호흡하지 않는 경우
- 헐떡 호흡을 하고 있는 경우
- 아기의 심박동수가 분당 100회 미만인 경우

기관내삽관의 적응증

- 지속적인 양압 환기요법이 필요한 경우
- Bag이나 mask 환기가 효과 없는 경우
- 기관 내 흡인이 필요, 횡격막 탈장이 의심

(3) Apgar 점수

	0	1	2
심박수	없음	<100회	>100회
호흡	없음	느리거나 불규칙	양호, 울음
근력	늘어짐	사지를 약간 굴곡	활발
자극 반응	반응 없음	얼굴을 찡그림	기침, 재채기
피부 색	청색, 창백	몸 분홍, 사지 청색	분홍색

(4) 신생아의 대사성 산혈증(Metabolic acidemia)

① 탯줄동맥의 pH <7.0, base deficit ≥12 mmol/L
② 신경학적 기능 이상의 예측은 어려움

(5) 신생아 고빌리루빈혈증
 (Neonatal hyperbilirubinemia)

① 생후 2~5일경 신생아의 1/3에서 생리적 황달 발생
② 간세포의 미성숙 → unconjugated bilirubin 증가
③ 미숙아에서 기간도 더 길고 황달도 더 심함

Chapter 32 신생아의 질환 및 손상

(1) 신생아 호흡곤란증후군(RDS)

① 원인
- a. 패혈증 증후군을 동반한 주산기 감염
- b. 선택적 제왕절개
- c. 중증 태아가사(severe asphyxia)

② 폐 성숙을 증가시키는 상황 : 임신성 고혈압, 갑상샘기능항진증, 태반경색, 융모양막염, 조기양막파수

(2) 태아가 자궁에서 태변을 배출하는 기전

① 저산소증으로 인한 항문괄약근 이완
② 탯줄 눌림에 의한 미주신경 자극(vagal stimulation)
③ 위장관운동의 미성숙

(3) 신생아 저산소성허혈뇌병증(HIE)을 초래하는 소견들

신생아 소견

- 아프가 점수 : 5분과 10분에 <5점
- 탯줄동맥혈 산증 : pH <7.0 ±base deficit ≥12 mmol/L
- 급성 뇌손상을 시사하는 영상 : 저산소성허혈뇌병증의 MRI
- 저산소성 허혈성 뇌병증에 합당한 다발성 장기 손상

유발인자의 유형 및 시기

- 분만 전 혹은 분만 동안 즉시 일어난 저산소 혹은 허혈
- 분만 또는 출산기의 태아 심장박동수 양상

(4) 산류와 두혈종의 감별진단

	산류 (caput succedaneum)	두혈종 (cephalohematoma)
원인	두피 압박에 의한 출혈성 부종	두개골 골막하 출혈
봉합선 통과	(+)	(−)
호발 부위	골막 상부, 선진부	골막 하부, 측두골
두개골 골절	(−)	Linear fracture 동반
임상 경과	수일 이내에 사라짐	2주~3개월 지속
크기 증가	(−)	(+)
발생 시기	분만 중	분만 몇 시간 후
치료	기대 요법	Skull X-ray, 응고인자 검사, 기대 요법

Chapter 33 사산

(1) 태아 사망(Fetal death)

① 정의 : 임신 종결을 위한 인위적인 유도분만의 경우를 제외하고 태아가 분만 되었을 때 호흡과 심박동이 없고 탯줄에서 맥동이 없거나 자의적인 근육의 확실한 움직임이 없는 경우

② 진단기준
- a. ACOG Practice Bulletin(2009)
  - 임신 20주 이후
  - 임신 주수를 모를 시 : 체중 ≥350 g
- b. 세계보건기구(World Health Organization, WHO)
  - 임신 28주 이후
  - 우리나라도 임신 28주 이후를 기준으로 선택

(2) 사산의 원인

태아의 원인

- 염색체 이상, 기형, 대사장애, 유전질환
- 태아성장제한, 과숙아, 다태아
- 감염, 태아 용혈성질환

모체의 원인

- 사회경제적 빈곤, 비만, 흡연, 외상, 고령, 10대 산모
- 사산, 조산, 태아성장제한의 과거력, 보조생식술 임신
- 내과적 질환 : 당뇨, 고혈압성질환, 루프스, 신장질환
- 담즙정체, 항인지질증후군, 혈전성향증, 혈액질환, 면역질환

태반 및 탯줄의 원인

- 태반경색, 혈전
- 전치태반, 태반조기박리, 융모막혈관종, 양막염, 조기양막파수
- 탯줄 합병증 : 탯줄염, 탯줄양막부착, 진짜 매듭, 목덜미 탯줄, 탯줄탈출, 탯줄 꼬임, 혈전증

(3) 사산의 분만 방법

① 일반적으로 자연적인 진통이 2주 이내에 발생
② 임신 28주 이전 : 유도 분만 시도
- a. 질 내 misoprostol 사용
- b. 고농도 oxytocin 주입
③ 임신 28주 이후에는 통상적인 유도 분만 방법에 따라 분만을 시도

Chapter 34 산욕기

(1) 산욕기(Puerperium)의 정의

① 분만 상처가 완전히 낫고, 자궁이 평상시 상태가 되며, 신체 기관이 임신 전 상태로 회복까지의 기간

② 대개 분만 후 4~6주간

(2) 자궁 크기의 변화

① 분만 직후 : 배꼽 아래에 위치, 무게 1,000 g

② 분만 후 2주 : 골반 내로 들어감

③ 분만 후 4주 : 임신 전 크기로 회복, 무게 100 g

(3) 자궁내막의 재생

① 분만 후 7일 : 표층이 상피(epithelium)로 덮임

② 분만 후 16일 : 증식기 자궁내막의 형태

③ 내막 전체가 재생되는데 분만 후 약 3주 정도 소요

(4) 태반부위의 퇴축(Placental site involution)

① 완전 퇴축에 6주 소요

② 이 부위의 자궁내막 재생은 다른 부위에 비해 느림

(5) 모유수유의 장점과 금기증

산모에 미치는 장점
– 아기가 젖을 빨 때 • Oxytocin : 자궁수축을 통한 산후 출혈의 예방 • Prolactin : 배란 억제, 모성애 자극, 산후우울증 감소 – 산후 체중 감소, 유방암, 난소암의 발생 빈도가 감소

모유수유의 금기증
– 지나친 음주, 약물남용 – HIV 감염 – 활동성 결핵, 치료하지 않은 결핵 • 치료 약을 2주간 복용할 때까지 아기와 격리 • 유방이나 피부의 결핵성 유방염이 아닌 경우를 짜낸 모유를 먹이는 것은 무방 • 모유수유 시작 전 적절한 결핵 치료를 하면 괜찮음 – 항암치료, 방사성 의약품 – 모유수유 금기인 약을 복용 중인 경우 – 아기의 갈락토오스혈증(galactosemia)

(6) 유방 울혈(Breast engorgement)

① 증상

a. 모유 누출(milk leakage), 유방통(breast pain)

b. 분만 후 3~5일에 흔히 발생

c. 산욕열이 흔하고, 37.8~39℃ 정도 올라가기도 하지만 4~16시간 이상 지속되지는 않음

② 치료

a. 초기 따뜻한 찜질과 나선형 마사지, 잦은 수유

b. 통증 시 : 냉찜질, 경구 진통제

c. 약물을 이용한 모유분비 억제는 추천하지 않음

(7) 약물을 이용한 모유수유의 억제

① Dopamine agonist(bromocriptine)

② 부작용 : 뇌졸중, 심근경색, 경련, 정신장애 등

(8) 분만 후 방광 과팽창과 요저류의 원인 및 위험인자

원인	위험인자
– 다량의 정맥 내 수액 공급 – 옥시토신의 항이뇨 효과 – 마취제 – 광범위한 회음절개, 열창, 혈종으로 인한 통증	– 초산부 – 제왕절개분만 – 회음부 열상 – 옥시토신을 이용한 분만 – 수술적 질식분만 – 분만진통 중 도뇨 – 10시간 이상의 분만진통

(9) 분만 후 4시간 이내에 소변을 보지 못하는 경우

① 회음부와 생식기의 혈종 확인

② 특별한 원인이 없으면 24시간 도뇨관 유치

③ 제거 4시간 후 배뇨를 못하면 잔뇨량 측정

a. 200 mL 미만 : 도뇨관 제거

b. 200 mL 이상 : 다시 도뇨관 하루 더 삽입

④ 2회의 도뇨관 유치에도 배뇨를 못하면 도뇨관을 유치한채 퇴원하고 1주일 후 재검사

35 산욕기 합병증

(1) 산욕열(Puerperal fever)

① 증상에 따른 감별진단

질환	증상
골반감염	분만 후 24시간 이내의 39℃ 이상의 고열
유방울혈	39℃ 이하, 24시간 이상 지속되지 않는 발열
세균성 유방염	24시간 이상 지속 발열과 유방감염 증상
호흡기 합병증	
무기폐	미열, 호흡 곤란, 기운 없음 등의 증상
흡인성 폐렴	심한 고열, 폐잡음, 저산소증 등의 증상
세균성 폐렴	
신우신염	체온 상승 후 늑골척추각 압통, 오심, 구토
혈전정맥염	다리의 동통과 종창, 장딴지 근육 압통

② 발열이 나타난 시간에 따른 감별진단
- a. 당일 저녁 : 탈수, 대사항진
- b. 24시간 내 : 무기폐
- c. 3~5일 : 폐렴, 요로감염
- d. 5~7일 : 혈전정맥염, 창상감염

(2) 분만 방법에 따른 자궁감염의 고위험군

질식분만	제왕절개분만
장시간 진통 or ROM 후 분만	장시간 진통 or ROM 후 수술
빈번한 자궁경부 내진	빈번한 자궁경부 내진
자궁 내 태아감시장치	자궁 내 태아감시장치
양막 내 감염, 신생아 합병증	
저체중아, 조산, 사산	

(3) 자궁감염(Uterine infection)

① 발병기전 : 자궁경부, 질 상재균의 자궁으로 침투
② 임상증상
- a. 발열(fever) : 진단에 있어 가장 중요한 요소
  - 감염의 정도에 비례, 주로 38~39℃ 이상 발생
  - 열 동반 오한(chill) : 패혈증을 의심하는 소견
- b. 복부 및 자궁주위조직 부위의 압통(tenderness)
- c. 백혈구증가증(leukocytosis), 악취가 나는 냉
③ 치료
- a. 비경구적 항생제 투여(혐기성균 커버 필요)
- b. Clindamycin + Gentamycin
- c. Ampicillin : 48~72시간 동안 효과가 없을 때 추가

(4) 창상감염(Wound infection)

① 제왕절개수술 후 : 수술 후 4일째부터 발생
② 국소 부위의 발적, 부종, 고름
③ 치료 : 항생제, 외과적 배농, 괴사조직 제거

(5) 자궁주위조직 광범위연조직염 (Parametrial phlegmon)

① 항생제에도 열이 72시간 이상 지속되는 경우 의심
② 일측성, 주로 광인대 기저부에 국한
③ 진단 : 골반 전산화단층촬영(Pelvic CT)
④ 치료 : 광범위 항생제, 절개부위 괴사 의심 시 수술

(6) 골반 농양(Pelvic abscess)

① Parametrial phlegmon의 화농으로 inguinal ligament 상부에서 broad ligament mass를 만든 경우
② 치료
- a. 복부 전방 농양 CT-directed needle drainage
- b. 직장질중격 후방 농양 : 후질벽 절개를 통한 배농
- c. Psoas abscess : 항생제, percutaneous drainage

(7) 유방염(Mastitis)

① 발병 시기 : 분만 후 7~10일

② 증상 : 일측성, 붓고 단단한 유방, 오한, 빈맥 등

③ 치료 : Dicloxacillin, Erythromycin

④ 치료 중 수유 지속, 호전 후 10~14일간 치료 유지

임신 중 고혈압 질환

(1) 전자간증(Preeclampsia)

① 임신 20주 이후 처음으로 고혈압 진단 + (의미 있는 단백뇨 or 한가지 이상의 증상)

상태	진단기준
Gestational hypertension	임신 20주 이후 처음 진단된 고혈압 (BP ≥140/90 mmHg)
Preeclampsia	고혈압 + (단백뇨 or 한가지 이상 증상)
단백뇨	≥300 mg/24 hr Urine protein/creatinine ratio ≥0.3 지속적인 random urine stick ≥+1
	or
혈소판감소증	Platelet count 〈100,000/μL
신장 기능 저하	serum Creatinine level 〉1.1 mg/dL or 기준의 두 배 이상 상승
간 기능 저하	정상의 두 배 이상 상승한 간수치
CNS 증상	두통, 시야장애, 경련
폐부종	

② 전자간증의 중증도

임상소견	비중증 (Nonsevere)	중증 (Severe)
수축기 혈압〉	〈160 mmHg	≥160 mmHg
이완기 혈압〉	〈110 mmHg	≥110 mmHg
단백뇨	±	±
두통	–	+
시야장애	–	+
명치 or RUQ 통증	–	+
소변 감소(≤500 mL/day)	–	+
경련	–	+ (자간증)
혈청 Cr	정상	상승
혈소판감소(Plt 〈100,000/μL)	–	+
간 기능 저하(간수치 상승)	경미	현저
태아성장제한	–	+
폐부종	–	+
임신 주수	후기	조기

(2) 자간증(Eclampsia)

① 전자간증 산모에서 경련(convulsion)이 발생
② 자간증의 발작(eclamptic seizures)

(3) 가중합병전자간증 (Superimposed preeclampsia)

① 임신 전 또는 임신 20주 이전 고혈압 진단 + (의미 있는 단백뇨 or 한가지 이상의 증상)
② 고혈압의 악화 or 가중합병전자간증 : 구별 어려움

(4) 전자간증의 위험인자

① 처음 융모막융모 노출 : 미분만부(nulliparity)
② 많은 융모막융모 노출 : 다태아, 포상기태 (H-mole)
③ 과거력 : 비만, 당뇨, 신장질환, 심혈관계질환 등
④ 유전적 원인
⑤ 고령 산모(35세 이상), 10대 산모, 고산지대
⑥ 흡연과 전치태반 : 임신성 고혈압의 빈도를 감소

(5) 전자간증의 병태생리

① 심혈관계(Cardiovascular system)
　a. 좌심실의 충만압(filling pressure) 정상
　b. 심박출량은 보통이거나 약간 감소
　c. 전신 혈관저항 증가 : 혈압상승의 주요 기전
　　→ 전부하(preload) 감소, 후부하(afterload) 증가
② 혈액응고계(Coagulation system)
　a. 가장 흔히 발견되는 혈액학적 이상
　b. 혈소판 100,000/μL 이하 : 분만의 적응증

증가	감소
Factor VIII consumption	Antithrombin III
Fibrinopeptide A and B	Protein C and S
FDP, D-dimers	

③ 신장(Kidney)

증가	감소
소변 나트륨 농도	사구체여과율(GFR), 신장혈류량
소변삼투압	여과분율, 요산청소분율
Urine:Plasma Cr ratio	나트륨배설 기능
혈장 uric acid, 칼슘 농도	혈장량, 중심정맥압(CVP)
Atrial natriuretic peptide	폐모세혈관쐐기압(PCWP)

④ 간(Liver)
  a. RUQ pain, epigastric pain : 간병변 동반을
     의미
  b. 간수치 증가 : 분만 후 24~48 hr에 최고
⑤ 중추신경계 : 시력장애, 두통, 뇌부종, 국소
   신경증상

(6) 항고혈압제와 항혈소판제
  ① 만성 고혈압 산모의 항고혈압제 복용
    a. 가중합병전자간증 발생을 감소
    b. 약물치료 적응증
      - Diastolic BP ≥100 mmHg
      - Diastolic BP ≥95 mmHg with LVH
      - Diastolic BP ≥100 mmHg with nephropa-
        thy
  ② 아스피린(aspirin)
    a. Thromboxane/prostacyclin 불균형 개선
    b. 전자간증의 위험도에 따른 아스피린 권고
       사항
      - 고위험군 : 저용량 아스피린(50~150 mg)
        을 임신 12~28주 사이에 시작하고 분만
        직전까지 복용
      - 중등도 위험인자 두 개 이상 : 저용량 아
        스피린

(7) 전자간증의 처치
  ① 전자간증의 근본적인 치료 : 분만
    a. 경증 고혈압, 비중증 전자간증 : 만삭 이후
       분만
    b. 중증 전자간증 : 임신 34주가 넘은 경우 분만
  ② 중증 전자간증 : 분만까지 고혈압제, 항경련
     제 투여
  ③ 유도분만의 시도 : 옥시토신 사용

(8) 임신연장요법 중인 임신 34주 이전 산모의 분만

폐성숙을 위한corticosteroid + 임신부상태 안정화 후 분만	폐성숙을 위한corticosteroid + 가능하면 48시간 후 분만
조절되지 않는 심한 고혈압 자간증, 폐부종, 태반조기박리 소모성 혈액응고장애(DIC) 안심할 수 없는 태아 상태 태아 사망	조기양막파수 or 조기진통 혈소판감소증 <100,000/μL 간수치 상승, 신장기능 저하 태아성장제한, 양수과소증 탯줄동맥 이완기말혈류역전

(9) 자간증(Eclampsia)의 증상
  ① 경련 : 전신적인 강직성-간대성 경련
  ② 단백뇨, 소변량 감소
  ③ 기타 : 폐부종, 고열, 시각장애 등
  ④ 분만 후 증상의 호전 순서
    a. 분만 후 24시간 내 소변량이 증가
    b. 분만 2~3일 후 간수치가 정상화되기 시작
    c. 분만 1주일 후 단백뇨, 부종 사라짐
    d. 분만 1주일 내 시력이 정상으로 회복
    e. 분만 수일~2주 정도 후 혈압의 정상화

(10) 자간증의 치료원칙
  ① 경련 조절 : 마그네슘황산염
  ② 이완기혈압이 높을 때마다 항고혈압제제 투여
  ③ 이뇨제는 폐부종 의심·진단된 경우만 투여
  ④ 고삼투압제제도 사용을 제한
  ⑤ 과도 수분소실이 아니면 수분공급 제한
  ⑥ 경련 조절 후 분만을 시도

(11) 마그네슘황산염(Magnesium sulfate)

① 사용방법

a. 투여 : 지속적 정주법 or 간헐적 근주법

b. 유효농도 : 4~7 mEq/L (4.8~8.4 mg/dL)

c. 분만 후 24시간 동안 지속하고, 분만 후 경련이 발생하면 경련 시작 이후 24시간 동안 유지

d. Cr >1.0 mg/dL : 유지량을 절반으로 줄임

② 투여 중 관리

a. 비경구적으로 투여된 Mg는 신장으로 배설

b. 혈중 크레아티닌 수치 및 소변량을 확인

c. 주기적인 심부건반사 및 호흡 확인

d. 규칙적인 혈중 마그네슘 측정은 비권장

③ 해독제 : Calcium gluconate or Calcium chloride IV

(12) 심한 고혈압의 조절

① 목표 : SBP ≤160 mmHg, DBP ≤110 mmHg

② 첫 번째 치료제 : hydralazine, labetalol, nifedipine

Chapter 37 산과적 출혈

(1) 산전 출혈(Antepartum hemorrhage)

임신 20주 이전 출혈의 원인	임신 20주 이후 출혈의 원인
유산(abortion) : 가장 흔함 자궁외임신 포상기태, 융모암종	태반조기박리 전치태반 전치혈관

(2) 산후 출혈(Postpartum hemorrhage)

	1차성(조기) 산후 출혈	2차성(만기) 산후 출혈
정의	분만 24시간 이내에 발생한 출혈	분만 후 24시간부터 6~12주 내 발생한 출혈
원인	자궁이완증 : 가장 흔함 잔류태반, 유착태반, 응고장애, 자궁뒤집힘	퇴축불완전 : 가장 흔함 잔류수태산물, 감염, 유전성 응고장애

(3) 태반조기박리(Placental abruption)

① 증상
   a. 질 출혈, 자궁의 압통, 허리통증
   b. 안심할 수 없는 태아 상태
   c. 자궁의 빈번한 수축, 지속적 긴장 항진
   d. 저혈량 쇼크, 자궁태반졸증, 혈액응고장애, 신부전
② 진단
   a. 의심 시 태반조기박리에 준하는 처치를 바로 시행
   b. 진단이 불확실할 경우 : 초음파 검사
      - Acute : isoechoic to placenta
      - Subacute : heterogeneous to placenta
      - Resolving/chronic : sonolucent
③ 치료 : 모체와 태아의 상태에 따라 결정

임신연장요법(Expectant management)
태아가 미숙한 경우에만 시행 1. 태아 이상을 보이는 심장박동 양상의 증거가 없음 　- 지속적인 서맥 or 심한 심장박동수 감소 　- 굴모양곡선(sinusoidal) 심장박동수 2. 임산부의 활력징후가 안정적이면서 출혈이 적음

제왕절개분만	질식분만
소생 가능한 주수의 태아 질식분만이 임박하지 않음 준비 안 된 자궁경부 질식분만의 금기증	태아 사망 소생 불가능한 임신 주수

(4) 전치태반(Placenta previa)

① 분류
   a. 전치태반(placenta previa) : 태반이 자궁내구를 완전 또는 부분적으로 덮고 있는 경우
   b. 하위태반(low-lying placenta) : 태반이 자궁내구로부터 2 cm 이내 위치한 경우
② 위험인자

인구학적 요인	임상적 요인
산모 나이 증가(만 35세 이상) 다산부(multiparity) 흡연(cigarette smoking) 자궁근종(uterine leiomyoma)	제왕절개술의 과거력 MSAFP 수치 증가 보조생식술(ART)을 통한 임신 다태아 임신

③ 전형적인 증상 : 통증 없는 출혈(painless bleeding)
④ 진단
   a. 초음파 검사
      - 가장 간단하고 정확하며 안전한 방법
      - 진단적 정확도 : 질 초음파>복부 초음파
      - 방광을 비운 상태에서 시행
   b. 내진 : 절대 금기
   c. MRI : 좋은 방법이나 초음파 대체 가능성은 적음
⑤ 치료
   a. 미숙아 + 분만 필요성이 없음 : 임신연장요법
      - 안정적인 임신부 상태
      - 소량이거나 멈춘 질 출혈
      - 안심할 수 있는 태아 상태 확인
      - 언제든지 가능한 제왕절개분만
   b. 미숙아 + 분만이 필요한 심한 출혈 : 제왕절개
   c. 태아가 성숙한 경우 : 제왕절개

(5) 태반 만출 후의 처치

① 자궁저부를 만져보고 자궁수축을 확인
② 자궁수축이 좋지 않은 경우

a. 자궁저부를 강하게 마사지

b. Oxytocin 정맥주사

(6) 잔류태반조직에 의한 출혈

① 만기 산후 출혈의 가장 흔한 원인

② 부태반(succenturiate lobe)으로 인해 경우가 많음

③ 예방법 : 만출된 태반의 결손 부분을 확인

④ 치료

　a. 내과적 치료 : 자궁수축제(1st choice)

　b. 외과적 치료 : 소파술, 자궁경으로 잔류태반 제거

(7) 자궁이완증(Uterine atony)

① 태반 만출 후 자궁수축이 안되어 심한 출혈이 발생

② 위험인자

　a. 자궁이 큰 경우, 이완증의 과거력

　b. 유도분만, 마취제 or 진통제, 비정상적 분만진통

　c. 초산부, 많은 출산력

③ 치료 : 자궁수축제(oxytocin, methylergonovine, $PGF_{2\alpha}$, PGE_1, PGE_2)

(8) 약물에 반응하지 않는 출혈의 단계적 처치

① 두손 자궁압박법(bimanual uterine compression)

　a. 한 손은 질, 다른 손은 하복부에서 자궁을 압박

　b. 초기 자궁무력증에 의한 출혈이 효과적으로 감소

② 도움 요청 및 정맥주사 경로 2개와 도뇨관 삽입

③ Crystalloid 수액 공급

④ 마취 후 손으로 잔류태반, 근종, 열상 등을 확인

⑤ 상태가 불안정하고 출혈 지속 시 수혈, 수술 고려

(9) 자궁뒤집힘(Uterine inversion)

① 임상증상

　a. 자궁경부를 통해 보이는 적갈색의 종괴

　b. 지속적인 출혈, 저혈압

② 치료

　a. 자궁수축이 강하게 이루어지기 전 : 도수정복

　b. 복원 시 사용되는 약제

마취제	자궁수축억제제	자궁수축제
Inhalational agent	Ritodrine	Oxytocin
Halothane	Terbutaline	Methylergono- vine
Enflurane	Magnesium sulfate	
	Nitroglycerin	

(10) 자궁파열(Uterine rupture)

① 증상

　a. 완전 자궁파열의 증상 : 복통 및 자궁수축의 소실, 저혈량 쇼크, 태아곤란증, 태아 심박동 이상

　b. 불완전 자궁파열의 증상 : 대부분 무증상

② 치료

　a. 단순 봉합 : 향후 임신을 원하는 경우 시행

　b. 자궁절제술 : 대부분의 자궁파열에서 시행

(11) 병적인 태반유착 상태

① 분류

　a. 유착태반(placenta accreta) : 태반 융모가 자궁근층에 붙어있는 경우

　b. 감입태반(placenta increta) : 태반 융모가 자궁근층을 침입한 경우

　c. 천공태반(placenta percreta) : 태반 융모가 자궁근층을 천공한 경우

② 위험인자

　a. 전치태반, 이전 제왕절개 분만력 : 가장 중요

　b. 산모의 나이 증가, 보조생식술(ART)

　c. Asherman syndrome, 자궁내막절제술의 과거력

③ 처치

  a. 수술 전 처치

    - 수술 전 임신부의 혈색소 수치를 올림

    - 분만 : 임신 34~37주에 계획된 제왕절개

  b. 수술 중 처치

    - 정맥주사 경로 및 동맥라인 유지, 수혈 준비

    - 태반이 분리되지 않는 경우 태반을 자궁에 그대로 놔두고 자궁절제술을 시행

    - 복부절개 : 정중선 수직절개

(12) 양수색전증(Amniotic fluid embolism)

① 가장 흔한 증상 : 저혈압, 폐부종, 호흡곤란

② 진단기준

  a. 갑작스러운 심폐정지 or 저혈압과 호흡 저하

  b. 명확한 소모성 혈액응고장애의 확인

  c. 분만 중 or 태반 만출 30분 이내 증상 발생

  d. 체온 ≤38℃

③ 치료

  a. 산소 공급

  b. 혈역학 허탈(hemodynamic collapse)의 치료

    - 목표 : SBP ≥90 mmHg, 소변량 ≥25 mL/hr

    - 혈액량, 심박출량 유지를 위한 정질액을 주입

  c. 혈액응고장애의 치료

(13) 출혈의 처치 시 혈액 보충

① 수혈 기준

  a. Hematocrit <25%, Hemoglobin ≤7 mg/dL

  b. 임상적 측면이 가장 중요

② 농축적혈구

  a. 전혈과 동일한 용량의 적혈구 포함

  b. 투여 시 hematocrit 3~4 vol% 증가

③ 신선동결혈장

  a. 섬유소원(fibrinogen) <150 mg/dL

  b. 비정상 PT 또는 PTT

Chapter 38 조산

(1) 조산(Preterm birth)

① 임신 $20^{0/7}$주~$36^{6/7}$주(258일)까지

② 완료된 주수(completed weeks) : 임신 $37^{0/7}$주

(2) 출생 시 체중 기준의 신생아 분류

신생아 분류	체중
저출생체중(LBW)	1,500~2,500 g
초저출생체중(VLBW)	1,000~1,500 g
극저출생체중(ELBW)	500~1,000 g

(3) 생존력의 한계

① 현재 생존력의 한계 : 임신 20~26주 사이

② 임신 23주 이전 신생아의 생존율 약 5%

(4) 조기진통의 진단

① 자궁경부의 변화

  a. 임신 중반 이후 무증상 자궁경부 개대

  b. 자궁경부 2~3 cm 개대되면 25%가 34주 전 분만

② 자궁경부의 길이

  a. 질식 초음파를 통한 자궁경부 길이의 측정

  b. 임신 16주 이후 시행, 단태아 임신만 적용

③ 진단기준

  a. 임신 20~37주 사이에 발생

  b. 진행성의 자궁경부 변화를 동반한 자궁 수축

(5) 자궁경부원형결찰술(Cervical cerclage)

① 34주 이전의 조산 과거력

② 자궁경부 길이 <25 mm

③ 임신 24주 이내의 단태아 임신

(6) 자궁경부 상태에 따른 조산의 예방 효과

자궁경부 상태	효과적인 조산 예방법
자궁경부 길이 <25 mm	자궁경부원형결찰술, 프로게스테론 동등한 효과
자궁경부 길이 <15 mm	자궁경부원형결찰술
자궁경부원형결찰술 시행 후 프로게스테론 추가 투여	추가적인 이득 없음
프로게스테론 투여 중 자궁경부가 짧아지는 경우	자궁경부원형결찰술 + 프로게스테론 지속 투여

(7) 조기양막파수 시 임신 주수에 따른 처치

임신 주수	처치
≥임신 $33^{1/7}$주	분만 시도(유도분만 시도) GBS에 대한 예방적 항생제 단일 주기의 스테로이드(스테로이드 사용이 없었던 경우 $34^{0/7}$~$36^{6/7}$주에 고려)
임신 $31^{1/7}$~ $33^{0/7}$주	임신연장요법(expectant management) GBS에 대한 예방적 항생제 항생제 투여 단일 주기의 스테로이드
임신 $23^{1/7}$~$31^{0/7}$주	임신연장요법(expectant management) GBS에 대한 예방적 항생제 항생제 투여 단일 주기의 스테로이드 자궁수축억제제 : 의견 일치 안 됨 태아 신경보호를 위한 황산마그네슘
<임신 $23^{1/7}$주	임신연장요법 또는 유도분만 GBS에 대한 예방적 항생제 비추천 단일 주기의 스테로이드 : 투여 고려 자궁수축억제제 : 의견 일치 안 됨 임신 $20^{0/7}$주 이후라면 항생제 고려

(8) 조기진통 치료를 위한 자궁수축억제제

① β-adrenergics
　a. 종류 : Ritodrine, Terbutaline
　b. 부작용
　　- 폐부종 : 가장 흔한 부작용
　　- 부정맥 : 심장질환이 있는 경우 금기
　　- 혈당 증가, 케톤산증, 저칼륨혈증
　　- 기타 부작용 : 모세혈관 투과성 증가, 경한 심계항진, 안면홍조, 흉통, 오심, 구토, 흥분, 마비성 장폐쇄, 가려움증, 피부염

② 황산마그네슘(magnesium sulfate) : nifedipine 과 함께 사용 시 magnesium의 신경근 차단효과 강화로 폐나 심장 기능을 저해 유발 가능

③ 프로스타글란딘 생성억제제(prostaglandin inhibitor)

④ 산화질소(nitric oxide)

⑤ 칼슘통로 차단제(calcium channel blocker)

⑥ 아토시반(atosiban)

(9) 자궁수축억제제의 금기증

자궁수축억제제의 금기증	
- 자궁 내 태아사망	- 혈역학적 불안정한 산모
- 생존할 수 없는 태아 기형	- 융모양막염
- 안심할 수 없는 태아 상태	- 조기양막파수
- 중증 전자간증 또는 자간증	- 특이적 금기증

(10) 양막파수가 없는 조기진통 산모의 분만진통

① 지속적인 전자태아감시(electronic fetal monitoring)

② 빈맥이 있는 경우(특히 양막파수 시) 패혈증을 의심

③ 진통 중 산혈증(탯줄정맥 pH ≤7.0) : 합병증 증가

④ 신생아의 group B streptococcus 감염 예방 시행

(11) 조기진통 산모의 분만

① 조산아에서 어떤 마취나 진통제를 선택해야 하는지에 대해 명확하게 결정된 것은 없음

② 회음절개술(episiotomy) : 조산아의 머리 손상을 줄이기 위한 충분한 회음절개술 권장

③ 두개내출혈(Intracranial hemorrhage)
　a. 조산아에서 두개내출혈 빈도 증가
　b. 제왕절개가 질식분만보다 더 유리한 것은 아님

Chapter 39 지연임신

(1) 지연임신(Postterm pregnancy)

① LMP부터 $42^{0/7}$주(294일) 이상으로 지속되는 임신

② 완료된 42주(임신 $42^{0/7}$주) 이상의 임신

(2) 지연임신의 원인

인구학적 요인	인구학적 요인
초임부, 남아 임신	무뇌아, 부신 형성부전
비만 여성, 고령 임신	태아 뇌하수체 결손
지연임신의 과거력	자궁경부의 산화질소 유리 감소

(3) 과숙증후군(Postmaturity syndrome)

특징적인 외형	증가하는 이환율
피하조직 감소, 주름진 피부	성장 지연, 저혈당
태변 착색, 긴 손톱	적혈구증가증
각성돼 보이고 걱정 있는 표정	태변 흡입, 신경발달이상

(4) 태아절박가사(Fetal distress)와 양수과소증

① 지연임신에서 나타나는 태아절박가사의 원인

　a. 양수과소증으로 인한 탯줄 압박 : 가장 흔한 원인

　b. 태변 착색, 태변 흡입

② 지연임신에서 나타나는 태아 심박동 소견

　a. Prolonged or Variable deceleration

　b. Saltatory baseline fetal heart rate

(5) 양수과소증(Oligohydramnios)

① 임신 38주 이후부터 감소하기 시작

② 주산기 예후를 예측하는 임상적으로 의미 있는 소견

(6) 지연임신의 치료방침

① 임신 41주 이후에는 주 2~3회 태아감시를 시행

② 고혈압, 태아가사, 태동 감소, 양수과소증 등의 합병증이 발생한 경우 유도분만을 고려

③ 임신 42주 이후에는 유도분만을 시행

Chapter 40 태아의 성장 이상

(1) 대칭적 성장제한과 비대칭적 성장제한의 비교

	대칭적 성장제한	비대칭적 성장제한
구분 기준	Head-to-Abdomen circumference ratio(HC/AC)	
계측치	HC가 AC에 비례하여 작음	HC에 비해 AC가 불균형적으로 작음
발생기전	세포 성장 초기의 손상 세포수와 크기가 상대적으로 감소	임신 후기의 손상 세포수가 아닌 세포의 크기 감소
원인	화학물질 노출 바이러스 감염 염색체 이수성	산모의 고혈압으로 인한 태반기능저하
위험성	불량한 임신결과의 위험성 증가 없음	분만 중 그리고 신생아 합병증의 위험이 증가 행동장애 발생 증가 뇌 손상 증가, 작은 뇌
태아 성장	정상적 성장 유전적 작은 키	비정상적인 성장

(2) 태아성장제한의 원인

모체측 원인
혈관질환(PIH, DM, CKD, SLE, APS)
흡연, 고산지대 거주, 천식
청색증 선천성 심장질환
임신부의 체중 증가불량
음주, 약물, teratogen 남용

태아측 원인
세염색체증(trisomy)
태반 국한성 섞임증
선천성 기형
바이러스, 원충 감염
다태임신

태반측 원인
Chronic placental abruption
Extensive infarction
Chorioangioma, Placenta previa
Circumvallate placenta
Marginal, velamentous insertion

(3) 태아성장제한의 평가

① 자궁저부의 높이 : 임신 18~30주까지는 주수와 일치

② 초음파 검사 : AC가 성장제한 예측에 가장 효과적

③ 양수량 : 간접적인 태아 혈류순환의 평가 지표
④ 탯줄동맥의 도플러 파형
    a. 자궁 내 성장제한 태아를 평가하는 표준검사법
    b. 비정상 탯줄동맥 도플러 파형 : 태반기능 이상
⑤ 태아감시 방법 : 초음파, 도플러, NST, BPP

(4) 태아성장제한의 관리

만삭이 먼 태아성장제한의 관리

- 평가 : 산모상태 확인, 탯줄동맥도플러, 태아심박동, BPP
- 임신 34주 미만 또는 출산 위험 시 : corticosteroid 투여
- 탯줄동맥 이완기말 혈류 소실 또는 역전, 안심할 수 없는 태아상태 : 분만 진행
- 임신의 유지가 가능하다고 판단될 경우 : 매주 태아감시(탯줄동맥도플러, 태아심박동, 양수량) 시행

만삭이 가까운 태아성장제한의 관리

- 임신 34주가 지났고 양수과소증, 탯줄동맥의 비정상 혈류파형, 임산부의 위험인자 등이 있다면 유도분만
- 연속적인 초음파 검사에서 태아성장이 확인되고 탯줄동맥도플러를 비롯한 태아안녕검사에서 정상 소견을 보일 경우에는 임신 38~39주에 분만

(5) 거대아(Macrosomia)

① 출생 주수에 따른 97 백분위 또는 2 표준편차 이상의 출생체중
② 임신 39주에 ≥4,000 g, 임신 40주에 ≥4,500 g
③ 위험인자 및 위험성

위험인자	분만 시 증가하는 위험성
산모의 비만(임신 전 BMI) 당뇨(diabetes) 지연임신(postterm pregnancy) 다분만부(multiparity) 부모의 큰 체격 산모 나이의 증가 거대아의 과거력 인종, 유전적 요인	제왕절개 견갑난산 산후 출혈, 회음부 열상 5분 아프가 점수 <7점 NICU 입원, 기계호흡 산모의 감염 쇄골골절, Erb 마비 저혈당, 고빌리루빈혈증

Chapter 41 다태아 임신

(1) 난성(Zygosity)

	일란성 쌍태아 (Monozygotic twin)	이란성 쌍태아 (Dizygotic twin)
수정 난자 수	한 개의 난자	두 개의 난자
태아의 발생	수정 후 분리	같은 시기에 수정된 2개의 난자가 착상
태아의 유전자	유전적으로 동일	동일하지 않음
비율	쌍태아의 1/3	쌍태아의 2/3
발생 빈도	인종, 유전, 나이, 분만 횟수와 무관 불임치료의 방법 모두에서 증가	인종, 유전, 나이, 분만 횟수, 불임치료와 관련
성별	동성	동성 또는 이성
혈액형	동일	다름
이식거부반응	음성	양성
지문	다름	다름

(2) 분할 시기에 따른 여러 형태

수정 후 분할	Chorion	Amnion
Dichorion	Diamnion	Diamnion
Monochorion	Diamnion	Diamnion
Monochorion	Monoamnion	Monoamnion
Conjoined twins	Conjoined twins	

(3) 융모막성(Chorionicity)의 결정

① 임신 제1삼분기

MCDA	DCDA
- 임신낭이 한 개로 관찰 - 임신 8주 전에 얇은 중간 양막을 보기 어려우면 yolk sac 수로 양막성을 판단 - 임신 8주 이후 양막 확인	- 두 개의 임신낭을 분리하는 두꺼운 융모막 밴드(thick band of chorion) - 모두 이양막성(diamnion)

② 임신 제2삼분기

MCDA	DCDA
– T sign : 태반에서 분리막이 90°를 이루며 막 사이에 태반조직이 없는 경우 – 분리막의 두께 <2 mm	– Twin peak sign (lamda sign) : 분리막의 기저부에서 삼각형 모양으로 만들어진 태반조직 – 분리막의 두께 ≥2 mm

 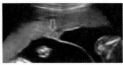

(4) 다태아 임신 시 증가하는 합병증

  ① 자연 유산, 선천성 기형, 저출생체중
  ② 산모의 고혈압, 조산(조기진통, 조기양막파수)

(5) 고유한 태아 합병증

  ① 단일 양막성 쌍태아 임신(Monoamnionic twin)
  ② 비정상적인 쌍태아(e.g. 결합 쌍태아, 기생 쌍태아)
  ③ 단일 융모막성 쌍태아의 혈관 문합
    a. 단일 융모막성 태반에서만 나타나는 형태
    b. 태반 내에서 태아 간의 혈관이 연결
    c. 동맥-정맥(Artery to Vein) 혈관 문합
      - 태아의 혈압이나 혈액량과 관계없이 한 방향 혈류 이동이 일어나 TTTS를 일으키는 원인
      - 공여자는 양수과소증, 수혈자는 양수과다증
  ④ 쌍태아 수혈증후군(twin-twin transfusion syndrome)
    a. A태아에서 B태아로의 동맥-정맥 연결도 있고, B태아에서 A태아로의 동맥-정맥 연결도 존재
    b. 혈류 불균형을 되돌리지 못하여 발생
    c. 임상소견

공여자(Donor)	수혈자(Recipient)
hypovolemia, dehydration hypoglycemia oligohydramnios, stuck twin growth restriction, anemia	hypervolemia, polycythemia CHF, cardiomegaly hypertension, polyhydramnios edema, hydrops

d. 진단 : 단일 융모막성(monochorion) 쌍태아 + 공여자의 양수과소증(largest vertical pocket <2 cm), 수혈자의 양수과다증(largest vertical pocket >8 cm)

e. 치료
  - 태아경하 레이저응고술(fetoscopic laser ablation)
  - 양수감소술, 선택적 태아희생술, 중격천공술

(6) 불일치 쌍태아(Discordant twins)

  ① 쌍태아 중 한 태아의 병적인 성장제한
  ② 불일치 정도에 따른 예후
    a. 20% 이상 : 불일치 쌍태아로 진단
    b. 25% 이상 : 호흡곤란증후군, 뇌실내출혈, 경련, 뇌실주위백질연화증, 패혈증, 괴사성 장염 등이 증가
    c. 40% 이상 : 태아 사망 증가
  ③ 쌍태아의 관리
    a. 초음파 : 태아의 성장 양상과 양수량 등을 관찰
    b. 비수축검사, 생물리학계수, 탯줄동맥 도플러 검사

(7) 일태아 사망(One fetal demise)

  ① 쌍태아 중 한 명의 태아만 자궁 내에서 사망한 경우
  ② 임신의 지속 여부 결정 요인
    a. 사망의 원인 : 사망의 원인을 알기는 어려움
    b. 산모와 생존아에 대한 위험의 정도
      - 일태아 사망은 대부분 단일 융모막성 쌍태아
      - 조기 분만보다는 임신 유지가 유리
  ③ 처치
    a. 생존 태아의 보존적 치료 시행
    b. 주기적 검진
      - 모체측 : 소모성 응고장애에 대한 검사

- 태아측 : NST, 폐성숙도 확인을 위한 양
  수천자
  c. 소모성 혈액응고장애 발생 시 저용량 헤파
  린 사용

(8) 쌍태아의 분만 시기

① 이융모막성(dichorionic) : 임신 38주
② 단일 융모막성 이양막성(MCDA) : 임신
34~37$^{6/7}$주
③ 단일 양막성(monoamnion) : 임신 32~34주

42 고려사항 및 중환자 관리

(1) 임신 중 방사선 노출에 대한 영향

① Deterministic effects : 선천성 기형을 유발하는
영향
a. 0.05 gray or 5 rad 이하 : 위험 없음
b. 0.2 gray or 20 rad 이하 : 태아기형에 대한
임계치
② Stochastic effects : 유전질환, 암을 유발하는 영향

(2) 산과적 영역에서 패혈증의 원인

① pyelonephritis, chorioamnionitis
② puerperal sepsis, septic abortion, necrotizing fasciitis

(3) 성폭행 후 성병에 대한 예방적 항생제 요법

Neisseria gonorrhoeae
Ceftriaxone 125 mg, 근주, 1회
Chlamydia trachomatis
Azithromycin 1 g, 경구, 1회 or Amoxicillin 500 mg, 경구, 하루 3회, 7일

(4) 외상 시 발생하는 산과적 합병증

① 태반조기박리(placental abruption)
a. 진단
- 자궁경부의 소실 및 개대 유무, 질 출혈
확인
- 전자태아감시장치, 초음파 검사
b. 처치
- 외상의 중증도와 상관없이 최소 4시간
동안 전자태아감시장치로 태아 심박수
와 자궁수축 관찰
- 자궁수축이 있어도 자궁수축억제제 사
용은 금기

② 자궁파열(uterine rupture)
    a. 태반조기박리와 유사한 증상
    b. 복부 근성방어(muscle guarding), 복막자극
       증상 등
    c. 분만 중 파열보다 출혈량도 적고 예후도
       양호
③ 태아-모체 출혈(fetal-maternal hemorrhage)

Chapter 43 비만

(1) 대사증후군의 진단기준

다음 중 세가지 이상 해당하는 경우 진단	
Elevated waist circumference	≥85 cm(33 in) in females ≥90 cm(35 in) in males
Elevated triglycerides	≥150 mg/dL
Reduced HDL cholesterol	<50 mg/dL in females <40 mg/dL in males
Elevated blood pressure	systolic ≥130 mmHg and/or diastolic ≥85 mmHg
Elevated fasting glucose	≥100 mg/dL

(2) 비만으로 인한 산과적 합병증

임신 전 합병증	태아의 합병증
제2형 당뇨	거대아
고혈압	과출생체중아
가임력 감소	NICU 입원율
배란장애	소아 비만, 당뇨

임신 중 합병증	
유산, 조산, 사산, 지연임신	견갑난산, 제왕절개, 유도분만
태아 기형	분만 후 출혈, 자궁이완증
임신성 당뇨, 전자간증	혈전 및 폐색전증
수술부위 감염, 마취 합병증	모성 사망률과 이환율

(3) 비만 임신부의 관리

임신 전	임신 초기
- 엽산 1 mg/day 복용	- 엽산 1 mg/day 복용
- 내과질환 확인(DM, HTN)	- 50 g 경구당부하검사(정상이더 라도 임신 24~28주에 재검)
- 5~10%의 체중 감량	- 혈압 측정
- 영양 상담	- HbA1c, 심전도
	- 24시간 소변검사(DM, HTN 시)
	- 영양 및 적절한 체중 증가

(4) 체질량지수에 따른 임신 중 권장되는 체중 증가

임신 전 BMI	체중 증가 권고 범위(kg)	
	단태아(single)	쌍태아(twin)
저체중 (<18.5 kg/m²)	12.5~18	기준 없음
정상 (18.5~24.9 kg/m²)	11.5~16	16.8~24.5
과체중 (25~29.9 kg/m²)	7~11.5	14.1~22.7
비만 (≥30 kg/m²)	5~9	11.4~19.1

Chapter 44 심혈관질환

(1) NYHA에 의한 심장질환의 임상적 분류

Class I	Uncompromised 일상 신체적 활동에도 증상이 없는 경우
Class II	Slight limitation of physical activity 일상 신체적 활동 시 증상이 발생하는 경우
Class III	Marked limitation of physical activity 경한 신체적 활동 시 증상이 발생하는 경우
Class IV	Severely compromised 가만히 있어도 증상이 있거나 심장기능상실 움직이면 증세가 더 악화

(2) WHO의 심장질환과 임신 위험성 분류 중 WHO 4

WHO 4 – 심각한 모성사망/이환 증가, 임신금기, 임신중절 필요
폐동맥 고혈압(pulmonary arterial hypertension) 중증 전신심실장애 : NYHA III/IV 혹은 좌심실박출률 <30% 좌심실 기능장애가 남아 있는 분만 전후 심장근육병증 과거력 중증 좌심실폐쇄(severe left heart obstruction) Marfan증후군(대동맥 확장 >40 mm) ・임신의 금기증 ・만약 임신 시, 매월 또는 격월로 심장내과 및 산과 추적관찰

(3) 심장질환 임신부의 감염성 심내막염 예방적 항생제

① 중등도 위험군 : 균혈증이 의심되는 경우에만 투여

② 고위험군
　　a. 균혈증이 의심되는 경우에만 투여, 합병증이 없는 경우에는 선택적 투여
　　b. 항생제 : Ampicillin or Cefazolin or Ceftriaxone

(4) 심장질환 임신부의 혈전색전증 예방

① 와파린(warfarin)
　　a. 기형유발 효과
　　b. 하루 5 mg 이하일 때는 지속 복용하다가 분만 직전 헤파린으로 변경
　　c. 모유수유 중에도 복용 가능

② 헤파린(heparin)
　　a. 장기간 투여 시 골다공증의 위험
　　b. 부작용 : 혈소판감소증, 무균농양 형성

(5) NYHA class I & II의 관리

① 임신 중 관리
　　a. 대부분 합병증 없이 임신 지속
　　b. 지나친 체중증가 방지, 충분한 수면, 식후 휴식
　　c. 담배, 술, 마약 금지, 예방접종

② 진통 및 분만 시 관리
　　a. 제왕절개 적응증이 없다면 질식분만
　　b. 옆으로 기울인 반쯤 누운 자세
　　c. 적극적인 통증 조절, 경막외마취
　　d. 분만진통 제2기의 단축이 필요

③ 산욕기 관리
　　a. 모성 사망이 가장 많이 발생하는 시기
　　b. 산후출혈, 감염, 빈혈 등에 의한 심부전 발생 가능

(6) 전도마취(Conduction anesthesia)의 금기증

① Intracardiac shunt, pulmonary hypertension
② Aortic stenosis, hypertrophic cardiomyopathy

(7) 항응고제 사용 산모의 임신 전 · 후 관리

① 판막에 따른 임신 중 항응고제
　　a. 기계식판막 : 항응고제 필요
　　b. 이종판막 : 항응고제 불필요

② 항응고제 종류에 따른 투여 원칙

항응고제의 종류	투여 원칙
경구 항응고제	임신 36주부터는 저분자량 헤파린이나 미분획 헤파린으로 교체 투여
저분자량 헤파린	분만, 제왕절개 24시간 전까지 사용
미분획 헤파린	분만 4~6시간 전에 중단

③ 항응고제의 재투여
  a. 질식분만 : 분만 6 hr 뒤 와파린 or 헤파린
     재투여
  b. 제왕절개 : 수술 6~12 hr 뒤 저분자량 헤파
     린이나 미분획 헤파린을 재투여(대개 24
     시간 후 재투여)

(1) 천식(Asthma)

① 임신이 천식에 미치는 영향

  a. 1/3에서 호전, 1/3에서 악화, 1/3에서 불변

  b. 임상증상 변화는 임신 제2삼분기에 자주 발생

② 천식이 임신에 미치는 영향

  a. 천식이 심하지 않으면 임신에 악영향 없음

  b. 중간~중증 천식에서 증가하는 위험성 : 전자간증, 조산, 발육지연, 저출생체중, 주산기 사망

③ 폐기능 측정 방법

  a. 1초간 강제 호기량(FEV1)

  b. 최고 호기 유속(PEFR)

④ 임신 중 급성 천식의 관리

  a. 입원, IV hydration, 산소 공급 & pulse oximetry

  b. Electronic fetal monitoring

  c. Baseline PFT : FEV1, PEFR

  d. Medication : β-agonist + corticosteroids

  e. PGF2α or ergotamine derivatives : 심각한 기관지 수축(bronchospasm)을 유발 가능

⑤ 진통 및 분만 중의 관리

  a. 잘 조절되는 천식 : 진통 및 분만 과정 중에 평상시의 투약을 지속

  b. 지속적으로 전신 corticosteroid를 투여하던 환자 : hydrocortisone 100 mg, q 8 hrs, IV

  c. 진통제 : fentanyl 같은 non-histamine-releasing narcotics 사용

  d. 마취 방법 : 경막외마취(epidural analgesia)

  e. 유도분만, 산후출혈, 자궁무력증 시 사용 가능한 약제 : oxytocin, PGE1, PGE2

(2) 결핵(Tuberculosis)

① 임신으로 폐결핵 증상이나 경과는 불변

② 폐결핵의 임신에 대한 영향

  a. 조산(preterm delivery)

  b. 저출생체중아(low birth weight)

  c. 태아 발육 지연(fetal growth restriction)

  d. 주산기 사망(perinatal mortality)

③ Tuberculin skin test 상 치료해야 하는 경우

Tuberculin test ≥5 mm	Tuberculin test ≥10 mm	Tuberculin test ≥15 mm
HIV positive Abnormal chest X-ray Recent contact with an active case	Foreign born IV drug users with HIV (-) 빈곤층	None of risk factors

④ 임산부의 결핵 치료

  a. 임신 중 결핵의 잠복 감염(latent infection) 치료

    - Isoniazid 300 mg daily for 1 year

    - Pregnancy, HIV (-) : INH 치료를 분만 후로 미룸

    - 치료를 미루면 안되는 경우 : Known recent skin test convertors, Skin test positive women exposed to active infection, HIV positive women

  b. 임신 중 결핵의 활동 감염(active infection) 치료

    - 임신부에서 결핵이 상당히 의심되는 경우

    - 권고 치료법 : 3제 or 4제 요법 + pyridoxine

  c. Isoniazid 사용하는 임신부, 수유부 : 간독성을 줄이기 위해 pyridoxine(Vit.B6) 같이 투여

  d. 일차 항결핵제로 결핵 치료 중 임신이 확인되어도 유산을 권고해서는 안 됨

  e. Aminoglycoside는 금기 : 태아의 auditory & vestibular abnormality, deafness 초래

Chapter 46 혈전색전성질환

(1) 정맥혈전색전성질환
(Venous thromboembolic disorder)

① 발생기전

색전증 촉발 요인	임신 기간 중 변화
Hypercoagulability	출혈 예방을 위한 응고인자의 합성 증가
Venous stasis	자궁에 의한 하대정맥과 골반정맥의 압박 제3삼분기 초부터 분만 후 6주까지 하지정맥혈류의 속도 감소 운동량의 저하
Vascular damage	정맥울혈과 분만에 의한 내피세포 손상

② 임상증상
   a. 갑자기 발생한 다리와 허벅지 부위의 통증과 부종
   b. 하지의 창백함, 박동의 감소

③ 진단 : 압박초음파, MRI, D-dimer, venography, CT 등

④ 치료

헤파린(heparin)	와파린(warfarin)
태반 통과 안해 임신 중 안전 미분획헤파린, 저분자량헤파린	태반통과 가능 Vit.K의존성응고인자 합성방해

(2) 폐색전증(Pulmonary embolism)

① 위험인자 : 수술 과거력, 임신중독증, 출산력 ≥3회, 고령(≥35세), 폐색전증의 과거력, 빈혈, BMI ≥30

② 증상
   a. 호흡곤란, 흉부통증, 기침, 객혈
   b. 빠른 호흡, 빈맥, 불안감
   c. EKG : Right axis deviation, T-wave inversion in the ant. chest lead
   d. 정상 ABGA
   e. Alveolar-arterial O2 difference ≥20 mmHg

③ 진단 : 환기-혈류스캔, CT angiography, 압박초음파, 흉부 X-선, D-dimer, MRI

④ 치료
   a. 항응고치료(anticoagulation) : 심부정맥혈전증의 치료와 유사
   b. Vena caval filter, thrombolytic agent, embolectomy

Chapter	
47	**신장 및 요로질환**

(1) 무증상 세균뇨(Asymptomatic bacteriuria)

　① 의의
　　a. 치료하지 않으면 급성 방광염, 신우신염 진행
　　b. 치료 시 조산, 저출생체중 등의 위험도 감소
　　c. 첫 산전진찰 시 무증상 세균뇨에 대한 검사 시행

　② 진단
　　a. 증상 (-) + 소변 세균 $\geq 10^5/mL$
　　b. 증상 (+) + 소변 세균 $< 10^5/mL$

　③ 치료 : Amoxicillin, Ampicillin, Cephalosporin, Nitrofurantoin, Trimethoprim-sulfamethoxazole

(2) 급성 신우신염이 있는 임신부의 관리

급성 신우신염이 있는 임신부의 관리
임신부의 입원
소변배양검사와 혈액배양검사 시행
전혈구(CBC), 전해질, 혈청 크레아티닌 평가
활력 징후, 소변량 확인 - 유치도뇨관 고려
소변량 ≥ 50 mL/hr 유지되도록 정맥 내 수액 공급
정맥 내 항생제 투여
호흡곤란 또는 빈호흡 시 흉부 방사선 검사 시행
48시간 후 전혈구(CBC), 전해질, 혈청 크레아티닌 재검
열이 떨어지면 경구 항생제로 교체
24시간 동안 열이 없으면 퇴원, 항생제 치료 7~10일 고려
항생제 치료 종료 1~2주 후 소변배양검사 재검

(3) 신장결석(Nephrolithiasis)

　① 진단 : 신장 초음파, MRI, CT, HASTE, MRU
　② 치료
　　a. 보존적 처치 : 안정과 적절한 수분 공급, 임신부는 요관이 확장되어 보존적 치료로도 결석이 자연 배출
　　b. 침습적 처치 : 경피적 신루설치술, 요관내시경, 체외충격파쇄석술, 수술적 제거

Chapter	
48	**위장관질환**

(1) 임신 중 급성, 중증의 복통을 유발하는 원인들

소화기질환	비뇨기질환	산부인과질환
급성 충수돌기염	신장결석증	자궁외임신의 파열
크론병, 메켈게실파열, 장 중첩증	방광염	난소종양의 파열
염증성장질환	신우신염	혹은 염전
대장암		자궁내막증
허혈성대장염		자궁근종
과민성대장증후군		

(2) 위식도역류질환
(Gastroesophageal reflux disease)

　① 원인 : 하부식도괄약근 이완으로 인한 위식도역류
　② 증상 : 속쓰림(heartburn), 가슴앓이(pyrosis)
　③ 치료 : H2 blocker, Proton-pump inhibitor

(3) 충수염(Appendicitis)

　① 임신 중 진단이 어려운 이유
　　a. 식욕부진, 구역, 구토는 임신 중 흔한 증상
　　b. 자궁이 커지면서 충수 이동으로 통증 위치가 변함
　　c. 정상 임신에서도 관찰되는 백혈구증가증
　　d. 임신 중 나타날 수 있는 질환들과 감별 필요

　② 진단
　　a. 초음파 검사 : 일차적인 검사 방법
　　b. 기타 : MRI, CT

　③ 치료
　　a. 충수염 의심 시 임신 주수에 관계없이 수술 시행
　　b. 복강경 충수절제술 : 안전하게 시행 가능
　　c. 항생제 : 2세대 cepha. 또는 3세대 penicillin
　　d. 복막염으로 자궁수축 시 자궁수축억제제 사용

④ 임신에 대한 영향
  a. 유산, 조기진통 증가 : 복막염 발생 시 증가
  b. 최근의 수술에 의한 복부 상처는 진통과 질식분만에 문제가 되지 않음

Chapter 49 간, 담도, 췌장질환

(1) 임신성 급성 지방간
  (Acute fatty liver of pregnancy)
  ① 임상양상
    a. 증상 : 복통, 두통, 오심, 지속적인 구토, 서서히 발생하는 황달
    b. 합병증 : 산모의 50%에서 고혈압, 단백뇨, 부종이 발생
  ② 진단 : 임상증상 + 혈액검사

혈액검사		
응고시간 지연	저알부민혈증	혈소판감소증
고빌리루빈혈증	저콜레스테롤혈증	용혈
Transaminase 증가	혈액농축	
저섬유소원혈증	백혈구증가증	

  ③ 치료 : 분만 후 자연적 호전

(2) B형 간염
  ① 임신에 의해 병의 진행이 영향을 받지 않음
  ② 태아 및 신생아 감염경로
    a. 태반 감염 : 임신 제3삼분기에 급성 B형 간염에 감염된 경우를 제외하고는 드묾
    b. 분만 중 감염 : 가장 흔한 감염경로
    c. 수유를 통한 감염 : 바이러스 전파 가능성 존재
  ③ 산모의 항원과 수직 감염의 관계
    a. HBeAg : 감염력과 손상 받지 않은 바이러스 입자의 존재를 의미
    b. HBsAg (+), HBeAg (+) : 신생아 전파 가능성 증가
    c. HBsAg (+), HBeAg (-), anti-HBeAb (+) : 전파 안됨
  ④ 신생아 감염의 예방
    a. 임신 중 B형 간염에 대하여 검사
    b. HBeAg 양성 : 출생 후 HBIG, 예방접종 시행
    c. HBV DNA 수치가 높은 고위험군에게 lamivudine이나 telbivudine과 tenofovir 병합

용법을 이용한 항바이러스제 투여를 고려

d. 항체가 없으면서 감염 고위험 산모는 임
신 중 예방접종을 시행

Chapter 50 혈액질환

(1) 철결핍성빈혈(Iron–deficiency anemia)

  ① 정상 단태아 임신 중 철분 요구량 : 1,000 mg

    a. 300 mg : 태아와 태반

    b. 500 mg : 산모의 혈색소(hemoglobin) 증대

    c. 200 mg : 장, 소변, 피부로 정상적으로 배출

  ② 진단

    a. 혈청 ferritin : 감소

    b. 혈청 iron : 감소

    c. 혈청 철결합능력 : 증가

    d. Hypochromia, microcytosis

  ③ 치료 : 경구 철분 투여

    a. 임신 중 권장 : 하루 30~60 mg elemental iron
+ 400 μg folic acid

    b. 철결핍성빈혈 산모 : 하루 200 mg elemental iron

(2) 임신성혈소판감소증

    (Gestational thrombocytopenia)

임신 중 혈소판감소증의 원인	
임신성혈소판감소증(70%)	감염 : 바이러스, 패혈증
Preeclampsia, HELLP증후군 (20%)	약물, 악성종양, 용혈성빈혈
산과적 응고병증, ITP, SLE, APAS	혈전성미세혈관병증

(3) 특발성혈소판감소증(ITP)

  ① 임신에 의한 재발이나 악화 없음

  ② 관리

    a. 혈소판 50,000~75,000/μL 이상 유지

    b. 30,000~50,000/μL 미만인 경우 치료를 고려

  ③ 치료

    a. Corticosteroid : plt <50,000/μL인 경우

    b. 면역글로불린 : steroid에 반응 없는 경우

    c. Corticosteroid + IVIG : 약물치료에 반응 없
는 경우

    d. Splenectomy : 약물치료에 반응 없는 경우

<table>
<tr><td>Chapter
51</td><td>당뇨</td></tr>
</table>

(1) 임신성 당뇨의 선별검사

임신성 당뇨의 위험도에 따른 선별검사

중등도위험군(average risk)
– 임신 24~28주 사이에 선별검사를 시행
– 스페인계, 아프리카계, 미국인, 동아시아인, 남아시아인
– 검사법
  • 2단계 검사 : 50 g OGTT 후 양성 → 100 g OGTT
  • 1단계 검사 : 선별검사 없이 진단적 경구당부하검사

고위험군(high risk) – 임신 진단 후 바로 검사를 시행, 그때 진단되지 않으면 24~28주   또는 고혈당 의심 증상이 있는 경우 재검 – 고도 비만, 제2형 당뇨의 가족력 – 임신성 당뇨, 내당능장애, 당뇨(glycosuria)의 과거력

(2) 임신성 당뇨의 선별 및 진단검사

① 선별검사 : 50 g OGTT

    a. 검사 시기 : 임신 24~28주, 식사 유무와 무관

    b. 양성 기준치 : 1시간 뒤 혈당 ≥140 mg/dL

② 확진검사

	100 g 경구당부하검사	75 g 경구당부하검사
공복	95 mg/dL	92 mg/dL
1 시간	180 mg/dL	180 mg/dL
2 시간	155 mg/dL	153 mg/dL
3 시간	140 mg/dL	

(3) 산모와 태아에 대한 영향

산모에 대한 영향	태아에 대한 영향
제왕절개, 고혈압 질환 증가 (T2DM, 심혈관 합병증 증가)	거대아, 견갑난산, 분만손상 폐성숙지연, 태아곤란증, 기형
신생아에 대한 영향	
신생아 호흡곤란증후군, 신생아 저혈당증, 고인슐린혈증, 고빌루빈혈증, 저칼슘혈증, 적혈구증가증, NICU 입원	

(4) 산모의 혈당 조절

임신성 당뇨의 혈당 조절 목표	
공복	≤95 mg/dL
식후 1시간	≤140 mg/dL
식후 2시간	≤120 mg/dL

① 대부분 식이요법과 운동요법으로 혈당이 조절

② 30~40%는 약물요법이 필요

(5) 임신성 당뇨의 약물요법

임신성 당뇨의 약물요법 적응증

진단 처음부터 고도의 고혈당이 있는 경우
식이, 운동요법으로도 혈당이 조절되지 않는 경우
  공복 >95 mg/dL
  식후 1시간 >140 mg/dL
  식후 2시간 >120 mg/dL

① 1차 약제 : 인슐린

② 2차 약제 : Metformin

(6) 분만 4~12주 후에 75 g 경구당부하검사 시행

	정상	당뇨
공복	<100 mg/dL	≥126 mg/dL
2 시간	<140 mg/dL	≥200 mg/dL
HbA$_{1c}$	<5.7%	≥6.5%

→ 정상인 경우 1~3년 간격으로 경구당부하검사 반복

(7) 케톤산증(Diabetic ketoacidosis, DKA)

① 제1형 당뇨에서 더 흔하게 발생

② 생명을 위협하는 응급상황

③ 원인 : 심한 입덧, 감염, 스테로이드, 약물 등

④ 처치

    a. 검사 : ABGA, glucose, ketone, electrolyte level

    b. 생리식염수와 인슐린 정맥주사

    c. 혈당이 250 mg/dL 되면 5% dextrose로 교체

(8) 현성 당뇨의 임신 전과 임신 중의 관리

	임신 전 혈당관리	임신 중 혈당관리
공복	≤95 mg/dL	≤95 mg/dL
식전		≤100 mg/dL
식후 1시간	≤140 mg/dL	≤140 mg/dL
식후 2시간	≤120 mg/dL	≤120 mg/dL
새벽 2~6시 사이		60~90 mg/dL
HbA$_{1c}$	<6.5%	<6%

Chapter 52 내분비질환

(1) 임신 중 갑상샘호르몬의 변화

증가	정상(변화 없음)	감소
TBG	free T3, free T4	T3 resin uptake
Total T3, T4	TSH	
갑상샘 크기	TRH	

(2) 갑상샘호르몬의 태반 통과

통과	미량 통과	불통과
iodine, TRH	T3, T4	TSH
Thioamides 약물		
갑상샘자극항체		

(3) 갑상샘기능항진증(Hyperthyroidism)

① 특징적인 소견

임상증상	혈액검사
빈맥(≥100회/min.)	TSH, free T4가 가장 정확
수면 중 심장박동수 증가	→ TSH 감소, free T4 증가
갑상샘 비대	결과모호 시 3~4주 후 재검
안구돌출(exophthalmos)	
눈꺼풀내림 지체(lid lag)	
임신의 체중 증가가 없음	

② 치료

	Propylthiouracil(PTU)	Methimazole
효과	T4에서 T3로의 변환을 억제	
태반통과	Methimazole 보다 덜 통과	PTU 보다 많이 통과

(4) 갑상샘기능저하증(Hypothyroidism)

① 임신 중 합병증 : 전자간증, 태반조기박리, 심 장기능장애, 출생체중 <2,000 g, 사산

② 진단 : free T4 저하, TSH 증가

③ 치료 : Levothyroxine(synthyroid®)

    a. 하루 1~2 μg/kg 또는 대략 100 μg 투여

    b. 4~6주 간격으로 TSH를 측정하여 치료 반 응 확인

(5) 부갑상샘기능항진증(Hyperparathyroidism)

임신 중 합병증	태아의 합병증
자연유산, 자궁 내 태아사망	부갑상샘기능저하증
태아성장제한, 저출생체중	저칼슘혈증
조산, 전자간증	강직(tetany)

(6) 프로락틴종(Prolactinoma)

① 임신에 대한 영향

미세선종(microadenoma)	거대선종(macroadenoma)
직경 ≤10 mm	직경 >10 mm
에스트로겐의 자극을 받아서 종양의 크기가 증가 가능	
– 임신 중 2% 미만에서 종양 증 가로 인한 증상이 발생 – 대부분 특별한 문제없음	– 임신 중 15~20%에서 종양 증 가로 인한 증상이 발생 – 임신 전 수술적 치료 고려

② 임신 중 추적 방법

    a. 미세선종 : 주기적인 증상 관찰(두통, 시야 장애 등)

    b. 거대선종 : 각 삼분기마다 시야검사 및 안저 검사

    c. CT, MRI : 증상이 발현된 경우 시행

    d. 혈중 prolactin 측정

③ 치료

    a. 내과적 치료 : Bromocriptine, Cabergoline

    b. 수술적 치료 : 내과적 치료에 반응없는 경우 고려

Chapter 53 결체조직질환

(1) 전신홍반루푸스(SLE)의 진단기준

Clinical criteria	
malar rash	Renal : proteinuria, casts, biopsy
discoid rash	Neurologic : seizures, psychosis,
Oral ulcers	Hemolytic anemia
Nonscarring alopecia	Leukopenia
Synovitis	Thrombocytopenia
Serositis	

Immunological criteria	
Antinuclear (ANA)	Antiphospholipid
Anti-dsDNA	Hypocomplementemia
Anti-Sm	Direct Coombs test

- Clinical, immunological criteria에서 적어도 1개씩을 만족하면서, 총 4개 이상인 경우 진단
- 신장조직검사상 루푸스신장염과 ANA or Anti-dsDNA 양성이 확인되어도 진단

(2) 전신홍반루푸스(SLE)의 임신 중 치료

① NSAIDs : 관절통, 장막염 조절
② Corticosteroid : 루푸스신장염, 신경학적 증상, 혈소판감소증, 용혈성 빈혈 등이 동반되는 위중한 상태
③ Antimalarials : 안전하게 사용가능
④ 면역억제제 및 세포독성 약물 : 비임신 여성의 활동성 루푸스 치료에 사용

(3) 임신의 예후를 가장 잘 반영하는 인자

① 단백뇨(proteinuria)
② 크레아티닌 청소율(creatinine clearance)

(4) 항인지질항체증후군(APS)의 진단 기준

임상기준(Clinical criteria)

Obstetric:
　유산 - 10주 이후에 한번 or 10주 전 3번 이상 연속
　조산 - 34주 전의 중증 전자간증 또는 태반기능부전
Vascular : 조직, 장기에 동맥 or 정맥혈전증 1번 이상

검사기준(Laboratory criteria)

lupus anticoagulant의 존재
Medium or high IgG or IgM anticardiolipin antibodies
Anti-β2-glycoprotein I IgG or IgM antibody

- 임상기준, 검사기준 각각 한가지 이상 양성으로 확인
- 12주 간격, 2회 LAC, ACA, anti-β2-glycoprotein I 상승 확인

(5) 항인지질항체증후군의 치료

① 치료제

아스피린(Aspirin)	헤파린(Heparin)
- SLE 또는 APS에 사용 - 임신 중 안전	- 정맥 및 동맥 혈전증 예방을 위해 사용

→ Asprin + Heparin : 가장 효과적인 요법

Corticosteroid

- SLE 여성 또는 SLE가 발생한 APS 여성에게 사용
- 원발성 APS에서는 사용하지 않음
- SLE에서 발생한 이차성 APS 여성은 악화(flare)를 예방하기 위해 prednisone을 가장 낮은 용량 유지

Intravenous immunoglobulin therapy (IVIG)

- CAPS 또는 헤파린유도 혈소판감소증에 사용
- 전자간증이나 IUGR 시 다른 치료에 반응없는 경우 사용

Immunosuppression with hydroxychloroquine

- APS 여성의 혈전증 위험을 줄이고 임신 결과를 개선
- SLE or APS에서 저용량 아스피린 치료에 함께 사용

② 치료 방법

임신 초기의 반복유산 (+) + 혈전증의 과거력 (-)

저용량 아스피린 ±헤파린(unfractionated heparin or LMWH)

태아 사망 또는 조산이 필요한 중증 전자간증 또는 태반기능부전 (+) + 혈전증의 과거력 (-)

저용량 아스피린 + 헤파린(unfractionated heparin or LMWH)

혈전증의 과거력 (+)

저용량 아스피린 + 헤파린(unfractionated heparin or LMWH)

(6) 류마티스 관절염에 대한 임신의 영향

① 주산기 예후 : 태아 및 신생아에 안 좋은 영향 없음
② 약 90%에 가까운 환자들이 임신 중 증상이 호전
③ 증상이 좋아졌던 환자의 대부분에서 분만 후 3개월 이내에 증상의 악화가 발생
④ 수유를 하는 경우 이러한 증상 악화가 더 잘 발생

Chapter 54 신경질환과 정신질환

(1) 편두통(Migraine headache)

① 편두통이 있는 여성의 70%에서 임신 중 증상 호전

② 치료

사용 목적	약제 및 FDA 임부등급	
구역, 구토	Promethazine(B,C)	Prochlorperazine(C)
	Metoclopramide(B)	Hydroxyzine(C)
통증	Acetaminophen(B), Caffeine(B)	
	Ibuprofen(B), Naproxen(B), Aspirin(C)	
	Sumatriptan(C), Codeine(B), Meperidine(B)	
진정, 수면	Chloral hydrate(C)	Diazepam(D)
	Pentobarbital(D)	Lorazepam(D)
	Hydroxyzine(C)	Clonazepam(D)
	Promethazine(C)	Chlorpromazine(C)
	Meperidine(C)	
예방	Propranolol(C), Verapamil(C), Nifedipine(C)	
	Amitriptyline(C), Fluoxetine(B)	

(2) 간질(Epilepsy)

① 임신과 간질(epilepsy)의 영향

임신이 간질에 미치는 영향
임신 중 항간질제의 혈중 농도가 감소
항간질제의 기형유발 가능성을 우려한 약제 임의 중단
수면장애, 과호흡 및 통증으로 낮아진 경련 역치

간질이 임신에 미치는 영향
간질은 선천성 기형의 위험을 증가시키지 않음
제왕절개, 조산, 산후 출혈의 유의한 증가 없음
전자간증 발생의 증가에 대한 증거는 부족
태아성장제한의 빈도 증가
흡연을 하는 간질 여성은 조기진통, 조산 위험성 증가

② 항경련제 복용 여성이 임신 시 엽산 4 mg/day

③ 임신 및 진통 중 처치

   a. 임신 중 항간질제의 혈중 농도를 정기적 측정

   b. 임신 16~18주에 MSAFP 측정

   c. 임신 18~22주에 정밀초음파 시행

   d. 진통 중 감시 및 관리로 질식분만을 시행 가능

   e. 분만 직후 모든 신생아처럼 Vit. K1 1 mg, IM

Chapter 55 피부질환

	임신성 간내쓸개즙정체 (Intrahepatic cholestasis)	임신소양성두드러기성 구진 및 판 (PUPPP)	임신유사천포창 (Pemphigoid gestationis)
발생 빈도	1~2%	0.25~1%	1:10,000
호발 시기	제3삼분기	제3삼분기	제2, 3삼분기 때때로 분만 후 1~2주
호발 부위	– 부분적(손바닥, 발바닥) – 전신적	– 임신선 주위 복부에 발생 – 엉덩이, 사지로 퍼지는 양상 – 전신적	– 몸통, 배꼽 주위에 발생 – 전신으로 퍼지는 양상

특징	– 심한 가려움
	– 밤에 더 심함
	– 일차적인 피부병변 없음
	– 긁은 상처로 인한 병변
		– 심한 가려움
		– 홍반성 소양성 구진 또는 판
		– 반점형 또는 전신형
			– 심한 가려움
			– 다양한 병변 : 붉은 부종성
			  구진(papule), 긴장성 잔물집
			  (vesicle), 물집 (bullae)

주산기 영향	주산기 이환률 증가 조산, 태변착색, 태아곤란증	영향 없음	조산, 사산, 태아성장제한 신생아의 일과성 유사병변
재발	++	–	+++
치료	가려움약, 연화제 국소 스테로이드 Cholestyramine, UDCA	가려움약, 연화제 국소 스테로이드	가려움약, 연화제 국소 스테로이드 중증 시 경구 스테로이드

Chapter 56 악성 신생물

(1) 치료적 방사선(Therapeutic radiation)

① 치료적 방사선에 대해 안전한 임신 주수는 없음

② 치료 목적의 유산 유도가 아니면 피함

③ 산전 방사선치료 후 6~12개월 동안은 임신을 피함 : 방사선치료 또는 항암화학치료 후 1 년 이내에는 자연 유산 또는 저출생체중 빈 도 증가

(2) 항암화학치료(Chemotherapy)

① 태아에 대한 영향 : 기형, 성장제한, 정신지 체, 암 발생 위험 증가 등

② 항암화학치료 후 난소의 기능

  a. 남성 및 여성 모두 항암화학치료 후 임신 력 감소

  b. 수정에 대한 영향은 나이와 용량에 따라 다름

  c. 사춘기 이전이 항암화학치료에 더 잘 견딤

  d. 수정 능력이 없어지지 않으면 유산, 태아 염색체 손상, 태아 기형은 증가하지 않음

(3) 임신 중 난소 종양의 크기에 따른 처치

① >8 cm : 수술적 제거(염전 위험성 증가, 악성 종양 감별)

② 6~8 cm : 평가 시행(악성 의심 시 수술)

③ <6 cm : 영상학적 추적관찰

(4) 임신 중 난소암의 치료

① 임신 중 난소의 악성 종양이 의심되면 확진 과 치료를 위한 수술적 처치가 필요

② 병기설정술 : 복수의 세포학적 검사, 복막 및 횡격막의 조직검사, 골반 및 대동맥림프절 제술, 대망절제술, 반대편 난소 조직검사

③ 병기, 조직학적 형태, 등급에 따라 치료가 다 르고, 또한 임신 주수를 고려

(1) 거대세포바이러스(Cytomegalovirus, CMV)

  ① 전파

    a. 수직 전파 : 선천성 감염 및 주산기 감염

    b. 수평 전파 : 비말, 타액, 소변, 성적 접촉 등

  ② 모체 감염 : 대부분 무증상, 발열, 인두염 등의 증상

  ③ 태아 감염

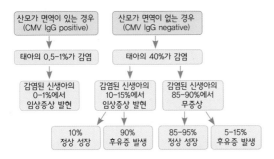

  ④ 초음파 검사

CMV의 산전 초음파 이상소견	
대표 소견	태아수종
중추신경계	뇌실확장증, 두개 내 석회화, 뇌실막밑낭종 등
심장	방실중격결손, 폐동맥협착, 낭원공 폐색
복부	간비장비대, 복강 내 석회화, 고음영 장
기타	비정상적 태반 크기, 양수과다증 or 양수과소증

  ⑤ 조직검사 : 핵내봉입체(intranuclear inclusion body)

  ⑥ 선천성 CMV 감염의 효과적 예방 및 치료법 없음

(2) 수두-대상포진바이러스
(Varicella-zoster virus, VZV)

  ① 선천성 수두증후군(congenital varicella syndrome)

    a. 분만 전후 산모가 수두를 앓는 경우 신생아의 25~50% 정도에서 선천성 수두 발생

    b. 증상 : 안구기형(맥락망막염, 소안구증, 백내장), 대뇌피질위축, 수신증, 사지형성부전, 피부반흔

  ② 초음파 검사 : 뇌실확장, 뇌, 간 및 심근의 석회화, 태아수종, 사지결손, 태아성장제한

  ③ 수두에 걸린 임신부 대부분이 대증적 치료로 회복

  ④ 산모의 바이러스 노출

    a. 수두 환자의 발진이 나타나기 2일 전~발진 후 5일 이내에 접촉한 경우

    b. 산모의 수두 과거력, 예방접종 여부를 확인

     - 면역의 확인 : 산모와 태아의 위험 없음

     - 과거력 불확실, 면역이 없는 산모 : 접촉 후 72~96시간 이내에 VZIG 투여

(3) 인플루엔자바이러스(Influenza virus)

  ① 인플루엔자 감염이 의심되는 경우 즉각적인 치료

  ② 예방접종

권장사항(ACOG, 2016)	예방접종이 중요한 경우
- 모든 임신부에 예방접종을 권장 - 10월에서 이듬해 5월 사이 - 태아에 대한 부작용 없음 - 모유수유 시에도 안전 - 태아의 분만 후 6개월간의 예방 - 생백신 예방접종은 비권장	- 만성질환자 - 당뇨(diabetes) - 심장병(heart disease) - 천식(asthma) - HIV 환자

(4) 풍진바이러스(Rubella virus)

  ① 태반을 통과하여 태아의 모든 장기에 영향

감염 임신 주수	선천성 감염	태아 결손
첫 12주 이전	최대 90%	거의 모든 태아에서 선천성 심장병, 청력소실 등이 발생
13~14주	약 50%	
20주 이후		태아 결손의 발생은 드묾
제2삼분기 말	약 25%	

② 선천성 풍진증후군(congenital rubella syndrome)

  a. 산전 진단이 가능한 결손 : 심장중격결손, 폐동맥협착, 소두증, 백내장, 소안구증, 간비장종대

  b. 다른 이상 소견 : 감각신경성 난청, 지능장애, 자반증, 방사선투과성 골질환

  c. 선천적 풍진을 가지고 태어난 신생아는 수개월 동안 바이러스 전파 가능

③ 혈청학적 검사의 결과 해석

IgG	IgM	결과 해석
음성	음성	면역력 없음
음성	양성	급성 감염, 위양성
양성	음성	면역력 있음, IgG 200 IU/mL 이상인 경우 재검
양성	양성	급성 감염, 위양성

④ 예방접종 : 약독화 생백신(임신부는 금기)

(5) 파르보바이러스(Parvovirus)

① 증상

  a. 성인의 20~30%는 무증상

  b. Viremia 마지막 며칠에 발열, 두통, 감기 증상

  c. 며칠 후 안면에서 얼굴, 몸통으로 반점 홍반

  d. 저절로 소실되지만 수개월간 지속되기도 함

② 태아에 대한 영향

  a. 감염 산모의 1% 정도에서 발생하지만 이는 비면역성 태아수종의 가장 흔한 원인

  b. 80% 이상이 임신 제2삼분기에 진단

  c. 태아수종 유발의 중요 시기 : 임신 13~16주

  d. 대부분 감염 후 10주 이내에 발생

③ 치료

  a. 치료를 하지 않아도 1/3은 태아수종이 호전

  b. 태아사망 예측 인자가 없어 태아수혈을 권고

Chapter 58 성매개질환

(1) 매독(Syphilis)

① 임신에 대한 영향

태아 영향	태반, 양수 영향	신생아 감염
조기진통	태반 비대	간비장비대
태아성장제한	말단 동맥염	황달, 혈소판감소
간 이상, 복수	태반혈관 감소	피부점막 이상
빈혈, 혈소판감소	괴사성 탯줄염	폐렴, 심근염
태아수종	혈관저항 증가	안장코, 림프절병
태아 사망	양수과다증	뼈 이상

② 임신부의 매독 치료

조기 매독
Benzathine penicillin G 240만 units, IM, 1회 (임신 20주 이상은 1주일 간격으로 2회 요법)

만기 매독 (신경매독 제외)
Benzathine penicillin G 240만 units, IM, 1주일 간격 3회

신경매독
Potassium crystalline penicillin G 300~400만 units, 6회/일, 18~21일 간(하루라도 빠지면 처음부터 다시 시작)

③ Penicillin 알러지가 있는 경우 : 탈감작 후 치료

(2) 임질(Gonorrhea)

① 선별검사

  a. 첫 산전진찰 때 임질의 선별검사를 시행

  b. 임신 제3삼분기 때 다시 한 번 검사를 시행

② 임신 중 치료

임신 중 임질감염의 항생제 치료
Ceftriaxone 250 mg, 1회, IM + Azithromycin 1 g, 1회, PO Ceftriaxone 사용불가 시 : Cefixime 400 mg, 1회, PO + Azithromycin 1 g, 1회, PO Cephalosporin 사용불가 시 : Azithromycin 2 g, 1회, PO

파종성 임균감염(Disseminated gonococcal infection, DGI)
Ceftriaxone 1 g, 매일 1회, IM or IV 증상 호전 후 1~2일간 같은 치료 유지, 이후 경구용 cefixime을 감수성 결과에 따라 7일 정도 더 치료

뇌수막염의 치료
Ceftriaxone 1~2 g, 12시간마다, 최소한 10~14일간 정맥투여 임질 심내막염은 같은 용법으로 최소한 4주간 치료

(3) 클라미디아감염(Chlamydial infection)

① 수직 감염 및 증가하는 위험성

    a. 질식분만 중 신생아로 전파율은 30~50%

    b. 신생아 결막염(neonatal conjunctivitis)

    c. 생후 6개월 이내 영아 폐렴(pneumonia)

② 치료

    a. 선호 치료법 : Azithromycin 1 g, 1회, 경구 투여

    b. 대체 요법 : Amoxicillin, Erythromycin base, Erythromycin ethylsuccinate

    c. 클라미디아 감염의 파트너 치료가 필요

(4) 단순포진(Herpes simplex virus)

① 임상소견

원발성 감염	
정의	HSV에 처음으로 감염된 경우
특성	– 잠복기 : 3~6일 – 첫 발현 원발성 감염 : 원발성 HSV-2 감염증상 발생
증상	– 대부분 무증상 – 가렵고 따끔거리는 홍반판 – 광범위 통증성 물집 및 궤양 – 서혜부 샘염증, 자궁경부염 – Viremia에 의한 일시적인 감기증상 : 발열, 근육통 등 – 2~4주 후 모든 증세 사라짐

② 단순포진바이러스의 태아 및 신생아 감염

    a. 분만 시 양막파열 후 바이러스의 침입

    b. 분만 중 태아에게 접촉

    c. 조기양막파수 시 상행감염은 발생하지 않음

    d. 유방에 HSV 병변이 없다면 모유수유 가능

③ 치료 : Acyclovir, Valacyclovir

④ 제왕절개의 적응증 : 생식기의 활성병변 또는 선행증상이 있는 경우

(5) 인유두종바이러스(Human papilloma virus, HPV)

① 생식기 사마귀(external genital warts)

    a. 잠복기 : 1~8개월

    b. 전염력이 매우 강함

    c. 주로 저위험 HPV에 의해 발생(주로 6, 11)

    d. 임신 중 더 흔히 다발성으로 발생하는 경향

② 임신 중 치료법과 금기법

임신 중 치료법	임신 중 금기법

TCA or BCA solution
  – Topically once a week
  – 80~90%에서 효과
  – 넓은 범위에 사용 가능
냉동치료(cryotherapy)
레이저절제술(laser ablation)
전기소작술(electrocautery)
수술적 절제술
	Podophyllin
	Podofilox
	5-FU cream
	Imiquimod cream
	Interferon

③ HPV 예방접종을 시작했는데 모르고 임신이 된 경우

    a. 투여를 즉각 중단

    b. 분만 후 접종을 재개 : 3회의 접종 중 남은 회차의 접종을 원래의 일정대로 지속

산부인과
SUMMARY

3 days 요약집

GYNECOLOGY

Chapter 1 임상 연구

(1) 코호트 연구(Cohort study)

① 특정 요인에 노출된 집단과 노출되지 않은 집단을 추적하고 연구 대상 질병의 발생률을 비교하여, 요인과 질병 발생의 관계를 조사하는 연구 방법

② 종류

    a. 전향적 코호트(prospective cohort) : 질환에 걸리지 않은 대상으로 이들이 위험 요인에 노출 되었는지 여부에 따라 노출군과 비노출군으로 구분한 뒤 향후 질병의 발생률을 비교

    b. 후향적 코호트(retrospective cohort) : 연구 시작 시점 이전으로 거슬러 올라가 요인과 질병 발생과의 관련성을 추적

(2) 비율과 측정 값의 계산

Status determined by screening	True disease state	
	Positive	Negative
Positive	a	b
Negative	c	d

① 민감도(Sensitivity)

    a. 실제 병이 있는 사람을 검사한 후 병이 있다고 판정할 수 있는 능력 또는 확률

    b. Sensitivity = $a/(a+c)$

② 특이도(Specificity)

    a. 진단 검사 후 병이 없는 사람을 병이 없다고 판정할 수 있는 능력 또는 확률

    b. Specificity = $d/(b+d)$

③ 양성 예측도(Positive predictive value, PPV)

    a. 그 진단 검사법으로 양성이라고 판명된 사람 중 정말 양성일 확률

    b. Positive predictive value = $a/(a+b)$

④ 음성 예측도(Negative predictive value, NPV)

    a. 그 진단 검사법으로 음성이라고 판명된 사람 중 정말 음성일 확률

    b. Negative predictive value = $d/(c+d)$

④ Common iliac L/N : from internal & external iliac

⑤ Aortic/para-aortic L/N : upper uterus, ovary, tube

Chapter 2 여성의 해부학

(1) 골반 인대(Pelvic ligaments)

① Inguinal lig. : Inguinal hernia 수술 시 가장 중요
② Copper's lig. : 요실금의 bladder suspension 부위
③ Sacrospinous lig. : Vaginal suspension의 장소

(2) 골반바닥(Pelvic floor)

① Pelvic diaphragm의 구성
  a. Levator ani : pubococcygeus, puborectalis, iliococcygeus
  b. Coccygeus muscles
② Urogenital diaphragm의 구성
  a. Deep transverse perineal
  b. Sphincter urethrae : Ext. urethral sphincter, compressor urethrae, urethrovaginal sphincter
③ Perineal body의 구성 : Bulbocavernosus, ext. anal sphincter, superficial transverse perineal m.의 tendon attachment

(3) 혈관(Blood vessels)

Aorta의 분지	Internal iliac artery의 분지	
	Anterior division	Posterior division
Ovarian a.	Obturator a.	Iliolumbar a.
Sup. rectal a.	Umbilical a.	Lateral sacral a.
(Inf. mesenteric a.)	Int. pudendal a.	Superior gluteal a.
Lumbar a.	Vesical a.	
Vertebral a.	Mid. rectal a.	
Middle sacral a.	Uterine a.	
	Vaginal a.	
	Inf. gluteal a.	

(4) 생식기 구조물의 배액을 담당하는 림프절

① Inguinal L/N : vulva, lower vagina
② Internal iliac L/N : upper vagina, cervix, lower uterus
③ External iliac L/N : upper vagina, cervix, upper uterus

(5) 체신경 분포(Somatic innervation)

① Femoral nerve
  a. Sensory : anterior and medial thigh, medial leg and foot, hip and knee joints
  b. Motor : iliacus, anterior thigh muscles
② Genitofemoral nerve
  a. Sensory : ant. vulva, middle/upper ant. thigh
  b. Common iliac & external iliac L/N dissection 시 가장 흔하게 손상되는 신경
③ Obturator nerve
  a. Sensory : medial thigh and leg, hip and knee joints
  b. Motor : adductor muscles of thigh
④ Sciatic nerve
  a. Sensory : much of leg, foot, lower-extremity joints
  b. Motor : post. thigh muscle, leg & foot muscles
⑤ Pudendal nerve
  a. Sensory : perianal skin, vulva and perineum, clitoris, urethra, vaginal vestibule
  b. Motor : external anal sphincter, perineal muscles, urogenital diaphragm

(6) Müllerian duct (Paramesonephric duct)

① 태생기 5주경 urogenital ridge upper pole에서 발생
② 구성 : Mesonephros, gonad, associated duct
③ 형성 : fallopian tube, uterus, upper 1/3 vagina
④ Testis determining Y gene(TDY)
  a. Y chromosome에 위치하고 성분화를 조절
  b. Gonadal cortex의 퇴화
  c. Medulla를 Sertoli cell로 분화

⑤ Sertoli cell : AMH분비 → paramesonephric duct퇴화

⑥ Leydig cell : Testosterone 분비

(7) 생식기의 발달 과정

① Paramesonephric duct : Fallopian tube, Uterus

② Genital tubercle : Clitoris, Penis

③ Urogenital fold : Labium minor, Penile urethra

④ Labioscrotal swelling : Labium major, Scrotum

(8) 자궁인대(Uterine ligaments)

① 광인대(Broad ligaments)

    a. 자궁 외측 경계부터 골반벽까지 뻗은 날개 모양 구조물로 골반강을 앞, 뒤 구획으로 나눔

    b. Uterine artery : Broad ligament의 바닥에서 올라옴

    c. Ovarian artery & vein : Infundibulopelvic ligament를 통해 broad ligament로 들어감

② 기인대(Cardinal ligament)

    a. Broad ligament가 uterosacral ligament 하방으로 가면서 견고해진 구조

    b. Paravesical space와 pararectal space를 가르는 구조물로 uterine artery가 지나감

    c. Uterine prolapse 방지

③ 치골자궁경부인대(Pubocervical ligament)

    a. Pubis의 posterior aspect에서 시작되어 cervix의 anterolateral portion에 부착된 인대

    b. 약해지면 cystocele 발생

Chapter 3 분자생물학 및 유전학

(1) 정상 세포주기(Normal cell cycle)

G1 phase	S phase
– pre-DNA synthetic phase – Diverse biosynthetic activity – 가장 시간 변동이 심함 – 세포주기 차이의 원인	– Nuclear DNA 합성 시기 – DNA content가 두 배가 됨 – All or none phenomenon – 약 10시간

G2 phase	M phase
– post-DNA synthesis – RNA와 protein 합성 시기 – DNA 복제 오류를 수정 – 결함 발생 시 암 위험 증가 – 약 5시간	– mitosis – Nuclear chromosomal division이 일어나는 시기

(2) 세포자멸사(Apoptosis)

① 정의 : 조직의 항상성을 유지하는 예정된 세포 사멸

② 세포자멸사와 괴사의 특징

세포자멸사(apoptosis)
– 특정 유전자 발현에 의한 energy dependent, active process – Cells shrink and undergo phagocytosis

괴사(necrosis)
– Cells expand and lyse – Energy-independent and results from noxious stimuli

③ 관여 유전자 : bcl-2, c-myc, p53, ced-9 등

④ 종양 : 증식과 사멸의 부조화 결과로서, 정상적인 세포자멸사의 기능이 소실되어 발생

(3) 용어 정리

① Codon

    a. 유전자 중 특정 DNA 구조가 특정한 하나의 amino acid를 합성할 수 있도록 하는 유전정보 함유 부분

    b. 구성 : 3 base pair of nucleotide

② Microarray chip technology

    a. 작은 금속이나 유리표면 위에 수백만 또는 수십만 개의 oligonucleotide나 cDNA 탐침

을 고밀도로 고정시켜 많은 유전자를 동시에 확인할 수 있는 방법

b. DNA와 proteins의 분석 및 target specific disease mechanisms의 치료 방법으로도 각광

Chapter 4 생식생리

(1) 생식샘자극호르몬분비호르몬(GnRH)

① Hypothalamus의 arcuate nucleus에서 분비, Pituitary gland에 feed-back inhibition을 받음

② 반감기는 2~4분, LH로 간접 측정

③ 증가 : CIP, acetylcholine, catecholamine

④ 감소 : Opioid, CRH, GABA, melatonin, malnutrition, stress, psychiatric disorder, exercise

⑤ 분비 양상

    a. Follicular : frequent small amplitude

    b. Late follicular : frequency(maximum), amplitude 모두 증가

    c. Luteal : frequency 줄고 amplitude 증가

(2) 생식샘자극호르몬(Gonadotropin)

① 종류 : FSH, LH

② FSH, LH, hCG, TSH의 구조

    a. α-subunit : 동일

    b. β-subunit : 서로 달라 각각의 독특한 기능을 수행

③ 분비

    a. GnRH에 의해 분비되므로 박동성 분비를 보임

    b. 혈중 농도는 비교적 오래 유지

    c. 사춘기 전 까지는 GnRH에 뇌하수체가 반응 없음

(3) 2세포 2생식샘자극호르몬계

황체호르몬(LH)
난포막세포(theca cell) 표면의 LH 수용체와 결합 → 세포 내의 CYP 17 유전자의 발현을 증가 → 17-αhydroxylase, 17-20 desmolase 활성 강화 → 막세포에서 안드로겐의 합성이 증가

난포자극호르몬(FSH)
난포의 과립막세포(granulosa cell) 수용체에 결합 → 과립막세포의 증식을 유발, 표면의 FSH 수용체를 증가 난포막세포에서 생성된 안드로겐은 과립막세포로 이동 → FSH가 방향화효소(aromatase)의 활성을 증가 → 안드로겐을 에스트로겐으로 변환

(4) 성호르몬에 결합해 호르몬을 비활성화 시키는 단백질

① 성호르몬결합 글로불린(SHBG)
② 알부민(albumin)

(5) 난소 주기(Ovarian cycle)

① 난포기(Follicular phase) : 하나의 우성 난포 형성과 배란의 시기, 평균 14~16일

  a. E2 증가에 따른 negative feedback으로 FSH 감소

  b. 후반 estrogen의 positive feedback으로 LH surge

② 황체기(Luteal phase) : 배란부터 생리까지(황체의 형성에서 소멸까지), 평균 14일

  a. Progesterone이 합성되며 황체기 중간 절정(mid-luteal peak : 월경 21일 째)이후 점차 감소

  b. 황체기 후반에 FSH가 증가

(6) 자궁 주기(Uterine cycle)

① 증식기(Proliferative phase)

  a. Estrogen의 영향으로 기능층의 유사분열 증식

  b. Early Proliferative phase
   - 자궁내막의 두께 : 4~8 mm
   - Isoehoic or slightly more hyperechoic than myometrium

  c. Late proliferative or periovulatory phase
   - Multilayered EM
   - Inner hypoechoic layer : edema of compact layer of endometrium
   - θ appearance in semicoronal plane
   - Small amount of intraluminal fluid

② 분비기(Secretory phase)

  a. 배란 후 48~72시간부터 자궁 내막은 progesterone의 영향을 표현하기 시작

  b. 혈관과 당원(glycogen)이 충만한 조직(착상과 배아 성장의 조건을 제공)으로 바뀜

  c. Subnuclear vacuole
   - 배란 48시간 후 lipid와 glycogen이 풍부한 vacuole이 상피세포의 기저부에 나타남
   - 배란이 일어났다는 첫번째 징후

  d. Maximal secretion date : MCD 21~23

  e. Stromal edema : Stroma는 분비기 처음 7일까지는 변화가 없다가 그 후 edema 증가

  f. Leukocytic infiltration
   - Polymorphonuclear lymphocytes : 생리 2일 전 증가
   - Endometrial stroma의 collapse와 menstrual flow의 전조 증상

③ 생리기(Menstrual phase)

  a. Progesterone의 감소에 의해 소퇴성 출혈(withdrawal bleeding)이 발생

  b. Prostaglandin
   - 생리 주기(menstrual cycle) 동안 생성
   - 생리 기간 동안 높은 농도로 유지 됨

  c. $PGF2\alpha$
   - Late secretory phase에 최고치
   - Implantation 후 감소
   - Vasoconstriction : Arteriolar vasospasm, endometrial ischemia 유발
   - Myometrial contraction 유발

Chapter 5

가족계획

(1) 콘돔(Condoms)

① 성병 위험성 감소 : Gonorrhea, Ureaplasma, PID
② 자궁경부종양(cervical neoplasia) 위험성 감소
③ 사정 지연의 효과

(2) 자궁내장치(Intrauterine devices, IUD)

	Copper IUD	LNG-IUS
작용기전	자궁내막 염증 유발	자궁내막 위축 유발
사용기간	약 10년	3~5년
피임실패율	0.6%	0.2%
자궁외임신	감소	감소
생리양, 생리통	증가	감소

(3) 자궁내장치(IUD)의 합병증

① 감염(infection)
　a. 삽입 후 20일까지는 감염의 빈도가 증가하지만 그 후에는 증가하지 않음
　b. 골반염이 의심되는 경우 시행해야 할 것들 : 균 배양, High-dose antibiotic therapy, 72시간의 치료에도 증상의 호전이 없으면 IUD를 제거, 골반 농양 의심시 초음파 시행
　c. 방선균증(actinomycosis)
　　- 무증상의 여성 : IUD를 유지, 항생제 필요 없음
　　- 감염 증상이 있는 여성 : IUD 제거, 항생제 치료
② 자궁 통증 및 출혈 : 가장 흔한 증상, NSAIDs를 쓰며 경과 관찰하면 6개월 이내에 호전
③ 생리 과다, 생리통
④ 방출(expulsion)과 천공(perforation)
　a. 실이 보이지 않을 경우 초음파를 통해 위치를 확인하고 자궁 내 없을 경우 KUB를 시행

　b. 자궁 밖에 위치할 경우 복강경으로 제거 시도
⑤ 출산력(fertility)
　a. 미분만부 : 불임이 증가 하지 않음
　b. 성전파성질환(STD) 감염의 경우 불임 증가

(4) 자궁내 장치(IUD)의 금기증

① 임신(pregnancy)
② 산욕기 패혈증(puerperal sepsis)
③ 최근 3개월 이내의 골반염의 과거력
④ 자궁내막암 또는 자궁경부암
⑤ 진단되지 않는 질 출혈
⑥ Copper allergy, Wilson's disease
⑦ 자궁 기형(uterine anomaly)

(5) 임신 시 자궁내장치(IUD in pregnancy)

① 임신에의 영향
　a. 패혈성 유산, 조기 양막 파수, 조산 가능성 증가
　b. 선천성 기형은 증가하지 않음
② IUD 실이 보이는 경우 : 즉시 제거(패혈성 유산, 조기 양막 파수, 조산의 예방을 위해)
③ IUD 실이 보이지 않는 경우 : 초음파로 IUD의 위치를 확인 → 치료적 유산, 초음파 유도하 IUD 제거, IUD를 놔둔 채 임신 유지

(6) IUD 사용 여성에서 출혈과 심한 복통의 처치

① IUD를 제거하는 가장 많은 내과적 원인 : 출혈(bleeding), 골반통(pelvic pain)
② 처음 몇 개월 동안 흔하게 나타나지만 점차 호전됨
③ NSAIDs 처방이 도움이 됨
④ 몇 개월 이후 발생하는 출혈과 통증 : 골반염, 자궁내 장치의 부분 이탈, 점막하 근종

(7) 호르몬 피임제의 작용 기전

① 배란 억제(ovulation inhibition)
② 자궁경부 점액(cervical mucus)을 진하게 만들어 정자의 통과를 막음
③ 자궁내막을 위축시켜 배아세포(blastocyst) 착상 억제
④ 난관 운동성(fallopian tube motility) 감소

(8) 복합 경구피임제의 대사 효과 및 안전성

① Venous thrombosis, thromboembolism 위험도 증가
② 혈전성향증(thrombophilia)의 증가
  - Antithrombin III, protein C, protein S의 부족
  - Factor V Leiden mutation, prothrombin gene mutation의 경우 위험이 더 높음
③ 심장질환과 뇌졸중 발생 위험도 : 고용량에서 증가하나 저용량에서는 매우 낮음
④ 당 대사 : Progestin의 항인슐린작용으로 당뇨 환자의 피임은 자궁내 장치(IUD)가 적합
⑤ 지방 대사 : Estrogen(LDL 감소, HDL 증가, TG 증가), Progestin(HDL 감소, LDL 증가)

(9) 경구 피임약의 효과를 감소시키는 약물

① 항결핵약(rifampin, rifabutin)
② 후천성 면역결핍증 치료제
③ 항경련제(phenytoin, carbamazepine 등)

(10) 복합 경구 피임약의 피임 이외의 건강상 이점

① 자궁내막암 : 발생 위험도 감소(progestin의 효과)
② 난소암 : 발생 위험도 감소(배란 억제에 의해)
③ 자궁경부암(cervical cancer)
  a. HPV (+) : Cervical neoplasia risk 증가 없음
  b. HPV (-) : Cervical neoplasia risk 2배 증가

④ 유방암(breast cancer)
  a. 유방의 양성 질환 : 감소
  b. 현재 혹은 과거 사용자 : 위험성 증가 없음
  c. 유방암 가족력 : 위험성 증가 없음
⑤ 간종양(hepatic tumor)
  a. 양성 선종 : 위험도 증가, 피임제 중단 시 감소
  b. 악성 종양과의 관계는 없음
  c. 급·만성 간염의 경과, 간경화의 진행, 만성 간염에서 간암의 발생, B형 간염 보균자에서 간기능에 대한 영향은 없음

(11) 복합 경구 피임약의 부작용과 대처 방법

a. 증상 지속 시 lowest dose highly effective formulation(20 μg EE)
b. 유방 압통 : High potency progestin OC로 교체
c. Nausea : Ethinyl estradiol 용량을 낮춰 사용(20 μg EE)
d. Weight gain(fluid retention), hirsutism, acne : Drospirenone/EE pill로 교체

(12) 응급 피임(Emergency contraception)

① Progestin-only OCs : 120시간 이내 복용 권장, 성교 후 빨리 복용 할수록 피임 효과가 높음
② 구리 자궁내 장치(Copper-IUD) : 7일 이내에 사용이 권장(7일 이후 사용해도 거의 100% 효과)
③ Ulipristal acetate 응급피임제
  a. 성교 후 5일(120시간) 이내에 UPA 30 mg 1회 복용
  b. 항프로게스틴 효과
  c. 응급피임 경구제제 중 가장 효과적

성기능장애 및 성폭행

(1) 성반응주기(Sexual response cycle)

① 욕구기(Desire)

a. 내적인 자극(판타지, 기억) + 외적인 자극 (에로틱한 글, 시각적 자극, 파트너)

b. 정신적 건강과 파트너와 관계가 가장 중요한 영향

② 각성기(Arousal)

a. 주관적인 흥분과 에로틱한 감정을 수반한 많은 신체적 변화가 유발

b. 신체적 변화

- 음부팽만, 질 윤활 증가, 가슴 크기 증가, 유두발기, 피부 민감도 증가

- 혈압, 심박수, 호흡, 체온의 증가

- 가슴, 얼굴에 혈관의 확장(sex flush)

- 넓고 길어지는 질, 골반 밖으로 상승하는 자궁

③ 극치기(Orgasm)

a. 각성기에 발생한 성적 긴장감이 갑자기 방출되는 느낌과 질과 자궁, 항문 근육의 주기적인 수축 발생

b. 여성은 불응기가 없어 다중 극치감이 가능

④ 해소기(Resolution)

a. 극치감으로 인한 성적 긴장감이 풀린 후 이완, 평온함이 느껴지는 시기

b. 각성기 중의 신체변화는 5~10분 후 정상 회복

(2) 극치장애(Orgasmic dysfunction)

① 극치감(orgasm)이 현저히 감소하거나 결여된 상태

② 진단

a. 극치감(orgasm)의 현저한 지연, 드묾, 부재

b. 뚜렷하게 감소된 극치감(orgasm)의 강도

③ 원인 : 강박적인 자기 관찰, 각성기 동안의 감시, 불안감과 부정적인 사고의 동반

④ 치료 : 성적 상상과 자위, 성관계 중 음핵 자극

(3) 성폭행 환자 면담 시 유의사항

① 문진과 증거 채취 전 환자에게 동의를 받아야 함

② 안정적인 환경에서 객관적인 검사자에게 면담 시행

③ 가족, 친구, 성폭력 상담가 같이 정신적인 지지가 될 수 있는 사람들을 대동

④ 환자를 혼자 두면 안 됨

⑤ 소아의 경우 나이와 배경에 맞는 용어를 사용

(4) 성폭핵의 진찰 및 증거 수집

검사	목적 및 방법
Wood light 검사	정액 확인, 정액이 묻은 부위는 청록색에서 주황색을 보임
Pap smear	정자 확인
질 분비물 채취	운동성이 있는 정자 확인 Acid phosphatase, P30 단백질(전립선 특이 단백), ABO항원, DNA 지문술 등의 확인
피해자의 음모 채취	가해자의 체모 채취
손톱 및 조직 채취	가해자의 혈액, 체모, 피부조직을 채취하여 DNA 지문술 시행
피해자의 침 채취	피해자가 ABO 혈액형의 H 항원 분비양성 인지를 확인 질 분비물에서 혈액형 항원과 비교
피해자의 두경부, 어깨, 가슴에서 검체 채취	식염수, 무균의 물로 적신 면봉을 사용 가해자의 호흡기 비말 확인하여 DNA 검사에 사용

(5) 성폭행 환자의 응급피임법

① Ulipristal acetate 응급피임제 : 성교 후 5일(120시간) 이내에 ulipristal acetate 30 mg 1회 복용

② 프로게스틴 단일 응급피임제 : 성교 후 72시간 이내에 levonorgestrel 1.5 mg 1회 복용

③ 복합 응급피임제 : 성교 후 72시간 내에 한번 복용하고 12시간 후에 다시 복용

④ 구리 자궁내장치(copper-IUD)

a. 성교 후 7일 이내에 사용이 권장

b. 7일 이후에 사용해도 낮은 피임실패율

(1) 사춘기 이전의 질 출혈(Prepubertal bleeding)

① 자궁내막 발산
② 질염(Vaginitis)
③ 이물질
④ 피부염
⑤ 요도탈출증(Urethrocele)
⑥ 출혈과 관련된 종양
⑦ 성조숙증(Precocious puberty)
⑧ 외음부 외상

(2) 가임기 여성의 비정상 생리

비정상 생리	간격	기간	양
월경과다 (menorrhagia)	규칙적	길어짐	많음
불규칙 자궁출혈 (metrorrhagia)	불규칙	정상 or 길어짐	정상
불규칙 과다월경 (menometrorrhagia)	불규칙	길어짐	많음
과다월경 (hypermenorrhea)	규칙적	정상	많음
과소월경 (hypomenorrhea)	규칙적	정상 or 짧음	적음
희발월경 (oligomenorrhea)	불규칙 or 드묾	다양	적음
빈발월경 (polymenorrhea)	규칙적이나 짧음	정상	정상

(3) 연령에 따른 출혈의 원인

사춘기	생식기	폐경전후기
• 만성 무배란 • 경구피임제 • 임신 • 혈액응고장애	• 경구피임제 • 임신, 무배란 • 자궁근종, 용종 • 갑상샘기능이상	• 무배란 • 자궁근종, 용종 • 갑상샘기능이상

(4) 무배란(Anovulation)

① 기능성 자궁출혈의 가장 흔한 원인
② 에스트로겐 파탄(estrogen breakthrough)으로 발생
③ 원인 : 식이장애(식욕부진, 폭식증), 과도한

운동, 만성질환, 스트레스, 갑상샘질환, 당뇨, 비만, PCOS

(5) 가임기 여성에서 비정상 자궁출혈(AUB)의 진단

① 검사실 검사
   a. 임신확인검사(가장 먼저 시행), β-hCG
   b. 혈액검사(CBC, PT, aPTT)
   c. 호르몬검사(TSH, prolactin, FSH)
② 영상검사 : Sono, Sonohysterography, CT, MRI 등
③ 자궁내막 조직검사, 진단적 소파술

자궁내막 조직검사의 적응증
– 질 초음파상 자궁내막이 두꺼운 경우 • 5~12 mm : 장기 estrogen 노출이 의심될 때 • >12 mm : 이상소견이 없더라도 시행 – 35~40세 이상의 여성에서 무배란성 출혈이 있는 경우 – 비만인 여성 – 지속적인 무배란 기왕력 – 약물 치료에 반응없이 출혈이 계속되는 경우 – 병변이 의심되는 경우

(6) 비정상 자궁출혈(AUB)의 치료

심한 급성 출혈의 입원 치료
기준 : 저혈압을 동반한 대량 출혈 or 혈색소 <10 g/dL 치료법 – Premarin 25 mg, 4시간마다, 24시간 투여 – 혈색소 <7.5 g/dL : 수혈

심한 급성 출혈의 외래 치료
기준 : 정상 혈압 and 혈색소 >10 g/dL 치료법 – Premarin(conjugated estrogen) 2.5 mg, 하루 4회, 경구투여 – Premarin 2~4회 투여에 반응 없거나 시간당 생리대 하나 이상   사용할 정도의 출혈이면 소파술 시행

(7) 폐경 후 질 출혈의 원인

폐경 후 질 출혈의 원인	빈도
위축성 내막염/질염(atrophic endometritis/vaginitis)	30%
외인성 에스트로겐(exogenous estrogens)	30%
자궁내막암(endometrial cancer)	15%
자궁내막 용종, 자궁경부 용종	10%
자궁내막증식증(endometrial hyperplasia)	5%
기타 원인	10%

(8) 폐경 후 질 출혈의 치료

① 위축성 질염(atrophic vaginitis) : 국소 estrogen 투여

② 자궁경부 용종(cervical polyp) : 수술적 제거

③ 자궁내막증식증(EM hyperplasia) : Progestin 치료

(9) 연령에 따른 골반종괴의 빈도

유아기	사춘기
기능성 난소낭종 난소의 생식세포종양 상피성 난소종양	기능성 난소낭종, 임신 난소 생식세포종양, 상피성 종양 자궁기형 혹은 폐쇄성 질구조 골반 염증성 종괴
생식기	폐경전후기
기능성 난소낭종 임신, 자궁근종 난소 생식세포종양, 상피성 종양 골반 염증성 종괴	자궁근종 상피성 난소종양 기능성 난소낭종 난소의 생식세포종양

(10) 처녀막 폐쇄증(Imperforate hymen)

① 증상 : 주기적 골반통(cyclic pain), 무월경, 질 분비물, 복부, 골반, 질의 종괴

② 치료 : 수술적 교정(처녀막 단순 절제)

(11) 생식기 여성의 비종양 난소종괴

① 난포낭종(follicular cyst)
   a. 가장 흔한 기능성 낭종
   b. 3 cm 이상이더라도 4~8주 후 자연소실

② 황체낭종(corpus luteum cyst)
   a. 파열 시 출혈 발생 가능(우측, 성교 중 잘 발생)
   b. 흔히 발생하는 시기 : MCD 20~26

③ 난포막황체낭종(theca lutein cyst)
   a. 주로 양측성으로 발생
   b. 기태임신(molar pregnancy) 시 호발
   c. 다태아, 당뇨, Rh 감작, 배란유도, GnRH와 연관

(12) 자궁근종(Myoma of uterus)

① 위험인자 : 나이 증가, 빠른 초경, 가족력, 비

만, 폐경 후 호르몬치료, 자궁조직 손상, 음주, 붉은 고기 섭취

② 증상 : 대부분 무증상, 비정상 출혈, 통증 등

③ 진단 : 초음파, 초음파 자궁조영술 MRI, CT 등

④ 가임력에 대한 영향 : submucosal myoma는 가임력 감소를 유발, 근종제거술 후 가임력 증가

⑤ 치료
   a. 경과관찰 : 무증상의 자궁근종, 정기적 추적관찰
   b. 내과적 치료 : GnRH agonist, GnRH antagonist, Levonorgestrel-IUS, 선택적 에스트로겐수용체조절제
   c. 외과적 치료

자궁근종의 수술 적응증
빈혈을 동반한 부정 질 출혈, 호르몬 치료에 반응이 없는 경우
월경통, 성교통, 하복부 통증 등의 만성적 통증
유경근종 혹은 점막하 근종의 탈출로 인한 급성 통증
수신증(hydronephrosis)을 동반하는 비뇨기계 증상
불임 조사에서 자궁근종 이외의 다른 원인이 없는 경우
자궁 크기의 급작스러운 증가로 인한 압통 및 통증 증가
자궁강 모양의 변형이 동반된 반복 유산력이 있는 경우

(13) 자궁선근증(Adenomyosis)

① 자궁내막의 샘과 간질조직이 근층 내 침윤하여 발생

② 증상 : 무증상(50%), 과다생리, 생리통, 골반통 등

③ 진단 : 초음파, MRI(조직검사를 통해 확진)

④ 치료
   a. 환자의 나이와 향후 임신을 원하는지 여부에 따라 치료 방법 결정
   b. 내과적 치료 : NSAIDs, 경구피임제, 프로게스틴(경구 or 자궁 내), GnRH agonist, aromatase inhibitor
   c. 수술적 치료
     - 가임력 보존 (-) : 자궁절제술(hysterectomy)
     - 가임력 보존 (+), 내과적 치료 실패 : 자궁벽 쐐기절제술, 이중피판법
   d. 기타 치료법 : 자궁동맥색전술, HIFU 등

Chapter 8 골반통과 월경통

(1) 자궁외임신(Ectopic pregnancy)

  ① 증상 : 무월경, 불규칙 질 출혈, 복통

  ② 진단 : 소변 및 혈청 hCG, 초음파 등

  ③ 치료 : 복강경 or Methotrexate

(2) 자궁부속기 염전(Torsion)

  ① 원인

    a. 줄기를 축으로 회전하여 꼬임으로써 허혈이 발생

    b. 양성 기형종(dermoid cyst) : 가장 흔한 원인

  ② 진단

    a. 일측 난소낭종 + 급성 통증 : 의심

    b. 초음파 : 난소낭종과 줄기의 혈관 꼬임을 확인

  ③ 치료 : 염전 부위를 풀고 낭종절제술 시행

(3) 난관난소농양(Tubo-ovarian abscess)

  ① 급성난관염의 후유증, 일측성, 다방낭 양상

  ② 진단 : 초음파, CT(정확한 진단을 위해 시행)

  ③ 치료

    a. 입원해 광범위 항생제 투여, 보존적 치료 시행

    b. 발열 지속 : CT나 초음파를 보면서 배농 시도

    c. 수술 : 내과적 치료 중에도 진행하는 경우

(4) 일차성 월경통과 이차성 월경통

	일차성 월경통	이차성 월경통
정의	기저 질환 없는 월경통	기저 질환 동반 월경통
발병	초경에서 1~2년 이내	초경에서 수년 후
배란	대개 배란을 동반	대개 무배란 동반
통증	생리 시작 or 시작 직후	생리 시작 1~2주 전
기간	48~72시간 지속	생리 후 수일간 지속
NSAIDs	통증 경감	통증 경감이 덜함
치료	- NSAIDs 3개월 이상 - NSAID+호르몬피임제	- NSAID+호르몬피임제 - Progestins or GnRH agonist

(5) 골반 울혈(Pelvic congestion)

  ① 만성 골반통의 원인으로 세번째로 흔한 질환

  ② 골반 복벽 및 정맥의 울혈, 과민성 등에 의해 장 운동, 성관계 시 통증을 느끼는 것

  ③ 진단

    a. 골반 정맥염주(pelvic varicosity)를 확인

    b. 정맥조영술, 골반 초음파, MRI, CT, 복강경

  ④ 치료 : 마사지, depo-MPA, 난소정맥복막외절제, BSO

(6) 만성 골반통(Chronic pelvic pain)의 치료

  ① TCA, anticonvulsant, SSRI, SNRI, 인지행동치료

  ② 수술적 치료 : Laparoscopy, Adhesiolysis, Presacral neurectomy & LUNA, Hysterectomy

(7) 월경전증후군(Premenstrual syndrome)

  ① 월경과 관련된 정서장애로서 월경 시작 1주 전에 신체적, 정서적, 행동적 증상이 반복적, 주기적으로 발생하여 월경 시작 4일 안에 해소되고 적어도 13일까지는 나타나지 않는 것

  ② 원인 : 정확인 원인과 기전은 확실하지 않음

  ③ 증상

    a. 정신적 증상 : 불안, 우울, 과민, 기분변화, 식욕증가, 공격성, 피로, 건망증, 수면장애 등

    b. 신체적 증상 : 복부팽만, 부종, 체중 증가, 변비, 안면홍조, 유방통, 두통, 여드름, 비염 등

  ④ 치료

    a. 생활습관 개선 : 카페인, 흡연, 스트레스의 감소

    b. 내과적 치료

      - SSRI : 가장 효과적인 치료법

      - 기타 : Benzodiazepine계 항불안제, 경구 피임제, GnRH agonist, Spironolactone

Chapter 9 여성 생식기 감염과 성병

(1) 질염(Vaginal infections)

	세균성 질염 (Bacterial vaginosis)	트리코모나스 질염 (Trichomonas vaginitis)	외음부질 칸디다증 (Vulvovaginal candidiasis)
원인	Gardnerella vaginalis	Trichomonas vaginalis	Candida species
분비물 pH	pH >4.5	pH <4.5	pH >4.5
분비물 양상	Gray vaginal secretion 맑고 균질한 회백색	회백색, 연녹색의 거품 악취가 나며 양이 많음	비지 같은 분비물 (cottage cheese like)
주요 증상	Fishy vaginal odor Gray vaginal secretion	외음부, 질의 홍반, 부종 Strawberry cervix	외음부 소양증, 작열감 성교통, 질 동통
Wet smear	다형 백혈구 Clue cell	운동성 편모가 있는 Trichomonas	Budding yeast Pseudohyphae
Whiff test	양성	양성 또는 음성	음성
치료	Metronidazole PO or Gel Clindamycin PO or Gel	Metronidazole PO	Topical azole drug Fluconazole, Nystatin
파트너 치료	필요 없음	필요함	필요 없음

(2) 자궁경부염(Cervicitis)

① 내자궁경부염과 외자궁경부염

내자궁경부(Endocervix) 염증	외자궁경부(Ectocervix) 염증
– 편평상피세포 염증 – 질염 원인균(trichomonas, candida, HSV)에 의한 염증 – 질점막세포와 연결	– 선상피세포 염증 – Gonorrhoeae, Trachomatis 에 의해 생긴 염증 – 화농성 점액 자궁경부염

② 화농성 점액(mucopus) : 노란색 혹은 초록색의 점액

③ 치료

  a. 하부생식기 감염(클라미디아, 임질)에 사용하는 항생제로 치료

    - Doxycycline 100 mg, 1일 2회 7일간, 경구 투여

    - Azithromycin 1 g, 1회, 경구투여

  b. 모든 성적 배우자도 함께 치료

(3) 골반염(Pelvic inflammatory disease, PID)

① 내자궁경부(endocervix) 상부의 미생물 감염에 의한 염증이 발생한 질환

② 원인균 : N. gonorrhoeae, C. trachomatis 등

③ 증상 : 골반통, 자궁경부 운동성 압통, 발열

④ 치료

  a. 입원 및 퇴원 기준

입원 기준	퇴원 기준
임신부, 청소년 고열(≥38℃), 외래치료 무반응 상부 복강 내 염증소견 난관난소농양 의심 자궁내장치 사용자 경구요법이 힘든 구역, 구토	24시간 이상 38℃ 이하 유지 백혈구 수치의 정상화 반발통 소실 골반 압통 호전

  b. 항생제

    - Ceftriaxone IM + Doxycycline ± Metronidazole

    - Cefotetan or Cefoxitin IM + Doxycycline

    - Clindamycin + Gentamicin

  c. 수술의 적응증

    - 약물치료에 반응이 없는 난관난소농양

    - 파열된 난관난소농양(tubo-ovarian abscess)

    - 급성 충수염과 감별이 어려운 경우

    - 불임의 원인이 난관폐쇄인 경우

(4) 난관난소농양(Tubo-ovarian abscess)

① 골반검진 : 급성 골반염 최종단계로 골반종괴 촉지

② 치료

    a. 입원하여 항생제 투여(75%가 항생제로 치료가능)

    b. 초음파나 CT 유도하 피부를 경유한 농양 배액

    c. 배액술이 불가능 한 경우 수술

(5) 임질(Gonorrhea)

① 증상 : 대부분 무증상, 배뇨통, 질 분비물, 부정출혈

② 진단 시 클라미디아, 매독, HIV 추가검사 시행

③ 치료

    a. Ceftriaxone + (Azithromycin or Doxycycline)

    b. 성 배우자에 대한 평가 및 치료 시행

(6) 클라미디아(Chlamydia trachomatis)

① 증상 : 남녀 모두 무증상인 경우가 대부분

② 진단 시 클라미디아, 매독, HIV 추가검사 시행

③ 치료 : Azithromycin, Doxycycline

(7) 매독(Syphilis)

① 매독의 자연경과

② 진단

    a. 선별검사 : VDRL, RPR

    b. 확진검사 : FTA-ABS, MHA-TP, TP-PA, ICS

③ 치료

조기 매독
Benzathine penicillin G 240만 units, IM, 1회 (임신 20주 이상은 1주일 간격으로 2회 요법)
만기 매독 (신경매독 제외)
Benzathine penicillin G 240만 units, IM, 1주일 간격 3회
신경매독
Potassium crystalline penicillin G 300~400만 units, 6회/일, 18~21일 간(하루라도 빠지면 처음부터 다시 시작)
Penicillin 알러지 : 탈감작 후 치료

(8) 헤르페스(Herpes)

① HSV에 의해 생식기 궤양이 발생하는 재발성 병변

② 증상

    a. 바이러스감염과 같은 전신증상과 외음부 감각이상 후 나타나는 소포

    b. 수포가 터지면서 깊지 않은 통증성 궤양을 형성

③ 진단 : 외음부 수포 및 궤양 ±과거의 비슷한 증상

④ 치료 : Acyclovir, Famciclovir, Valacyclovir

(9) 연성하감(Chancroid)

① Haemophilus ducreyi 감염

② 증상 : 통증이 심한 궤양, 압통성 서혜부림프절증

③ 진단 : 임상적으로 진단

④ 치료 : Azithromycin, Ceftriaxone, Erythromycin

(A) 매독(Syphilis)　　(B) 헤르페스(Herpes)　　(C) 연성하감(Chancrioid)

Chapter 10	외음부 질환

(1) 음순유착(Labial agglutination)

① 사춘기 이전의 낮은 에스트로겐 농도 혹은 피부자극의 만성 염증으로 대음순과 소음순이 유착되어 발생

② 치료 : 에스트로겐 크림을 2~4주간 바르면서 유착부위가 얇아지면 국소마취제를 사용 후 분리 시행

(2) 첨형 콘딜로마(Condyloma acuminatum)

① HPV(주로 HPV type 6, 11)에 의해 자라는 양성 종괴

② 진단 : 점막이나 피부의 다양한 크기와 형태의 부드러운 돌기형 병변을 확인

③ 치료

임신 중 가능한 치료법	임신 중 금기법
TCA or BCA – Topically once a week – 넓은 범위 사용 가능 냉동치료, 레이저절제술, 전기소작술, 수술적 절제	Podophyllin Podofilox 5-FU cream Imiquimod cream Interferon

(3) 바르톨린샘낭종(Bartholin's gland cyst)

① 분비샘이 막히는 경우 점액 축적되어 낭종을 형성

② 가장 흔한 원인균 : 임균(gonococcus)

③ 치료

a. 휴식, 진통제, 좌욕

b. 항생제

c. 통증이 있는 낭이 형성되면 절개 및 배농

d. 재발되는 만성 바르톨린샘농양 : masupialization

(4) 외상 정도에 따른 치료

a. 작은 타박상(contusion) : 냉각압박

b. 큰 혈종, 저혈압 동반 : 압박, 메우기(packing)

c. 감염을 막기 위해서 광범위 항생제를 주사

d. 요도 손상이나 입구를 막는 경우는 소변줄 삽입

난소의 양성종양

(1) 출혈성 황체 낭종
   (Hemorrhagic corpus luteum)
   ① 황체기에 주로 발생
   ② 낭종 파열 시 소량의 출혈이 발생
   ③ 활력징후가 안정적이면 보존적 치료가 우선

(2) 난포막황체낭종(Theca lutein cyst)
   ① 혈중 융모생식샘자극호르몬(hCG)과 연관
   ② 다태아, 포상기태, 융모막암종, 과배란유도
     후 발생
   ③ 대부분 저절로 소실, 염전 발생 시 통증, 복수
     동반

(3) 부난관낭종(Paraovarian cyst)
   ① 난소 근처 나팔관에서 발견되는 액체로 채워
     진 낭종
   ② 초음파 소견 : 얇은 벽, 일측성, 월경주기 영
     향 없음

(4) 난소 종양의 양성과 악성 가능성

양성의 가능성이 높은 경우	악성의 가능성이 높은 경우

- 폐경 전후에서 대부분 양성
- 낭종에 출혈이 동반
- 낭종의 크기가 작은 경우
- (악성 발생률 ≤5 cm : 0.5%,
  5~10 cm : 2%)
	- 낭종 크기가 증가하는 경우
	- 나이가 많을수록 악성의 가능
	  성

(5) 난소 종양의 추적검사

폐경 전 여성	폐경 후 여성

- 직경 3 cm 이상인 경우 6~8주
  간격으로 초음파
- 계속 크기가 증가하거나 감소
  하지 않을 경우 추가적인 검사
  혹은 본격적인 치료를 시행
	- 직경이 5 cm 이하인 경우 초음
	  파로 추적관찰
	- 직경이 5 cm 이상인 경우에는
	  제거
	- 크기 증가, 모양 변화, 복수 발
	  생, CA-125 증가가 있을 경우
	  수술을 시행

Chapter 12 자궁내막증

(1) 특성

① 샘(gland)과 기질(stroma)을 포함한 자궁내막 조직이 자궁강(endometrial cavity) 이외의 부위에 위치하는 것

② 난소(ovary) : 가장 흔한 발생부위

③ 위험인자와 보호인자

위험인자
불임, 빠른 초경, 짧은 월경주기, 월경과다, 미분만부, 뮐러관기형, 가족력, 큰 키, 다태아 중 한 명, DES 노출, 적은 출생체중, Dioxin or PCB 노출, 고지방 및 붉은 고기, 자궁내막증 과거력
보호인자
다분만부, 모유수유, 자궁 내에서 담배에 노출, BMI 증가, Waist-to-hip ratio 증가, 운동, 과일 및 채소

(2) 임상양상

① 통증

  a. 골반통, 월경통, 성교통

  b. 통증의 원인 : 국소염증, 조직파괴를 동반한 깊은 침윤, 유착 형성, 섬유화를 동반한 조직의 비후, 자궁내막증 병변 내로 탈락된 월경혈의 저류

② 임신율 저하 : 골반유착, 배란장애, 복강 내 염증

③ 골반 외 자궁내막증

④ 악성 변화 : 0.7~1% 정도

(3) 진단검사

① 혈청표지자

  a. CA-125

    - 선별검사나 진단에 이용하기에는 부적합

    - 재발 확인 및 치료효과 관찰에 유용

    - 병기, 통증 등이 CA-125 수치와 무관

  b. 기타 표지자 : CA 19-9, CA-72, CA-15-3, TAG-72

② 초음파 : 내부에 미만성 저에코를 띤 낭성 구조

③ 자기공명영상(MRI) : T1 강조영상에서 고신호강도, T2 강조영상에서 저신호강도

④ 조직학적 소견 : 확진을 위한 필수적인 방법

(4) 치료

① 외과적 치료

  a. 복강경 수술의 적응증

    - 자궁내막증이 의심되는 자각 증상이 있는 경우

    - 증상이 있으면서 이학적 소견을 보이는 경우

  b. 수술 후 6개월 간 GnRH agonist 투여

  c. 치료 효과

    - 통증 감소 : 복강경 수술 후 약 74%에서 호전

    - 임신율이 가장 높은 시기 : 수술 후 6~12개월

② 내과적 치료

  a. 내과적 치료의 적응증

통증이 주소인 경우	불임이 주소인 경우
- 복강경 자궁내막증 확인 - 자궁내막증 수술 후 병변이 남아있거나 통증이 지속 - 재발성 자궁내막증	- 경증 자궁내막증의 약물치료가 임신력 향상 증거 부족 - 중증 자궁내막증 환자의 체외 수정 시술 전

  b. 약물 : GnRH agonist, Progestin, 경구피임제, Danazol, Gestrinone, NSAIDs, COX-2 inhibitor

③ 병합치료

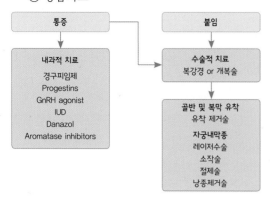

(5) 불임증에 대한 기대요법과 보조생식술

① 기대요법 : 경증 자궁내막증, 30세 미만, 다른
불임 원인 없는 경우 → 12~36개월 정도의
기대요법을 시행

② 보조생식술 : 중등도 이상의 병변, 30세 이상

Chapter 13 자궁경부, 질, 외음부의 상피내종양

(1) 자궁경부의 변형대(Transformational zone)

① SCJ의 변화로 인해 original SCJ과 active SCJ 사이에 형성된 지역
② 편평원주 경계면 주위에서 화생이 일어나는 부위
③ CIN이 생성되고, 자궁경부암이 잘 생기는 위치

(2) 인유두종바이러스(Human papillomavirus, HPV)

① 저위험군 : 콘딜로마(condyloma)와 관련
② 고위험군
　a. 자궁경부 상피내종양, 자궁경부암과 관련
　b. HPV 16, 18이 전체 자궁경부암의 70%에서 확인

(3) 의미미결정 비정형 편평세포(ASC-US)

(4) 고등급 편평상피내병변을 배제할 수 없는 비정형 편평세포(ASC-H)

(5) 비정형 선세포(Atypical glandular cells, AGC)

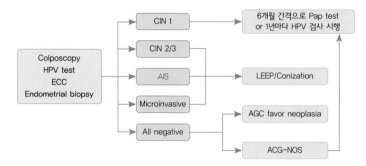

(6) 저등급 편평상피내병변(LSIL)

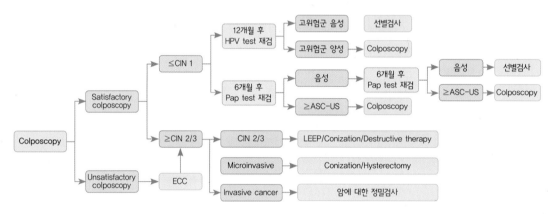

(7) 임신부의 저등급 편평상피내병변(LSIL)

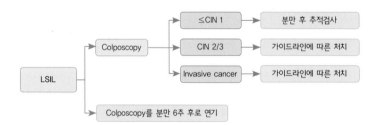

(8) 고등급 편평상피내병변(HSIL)

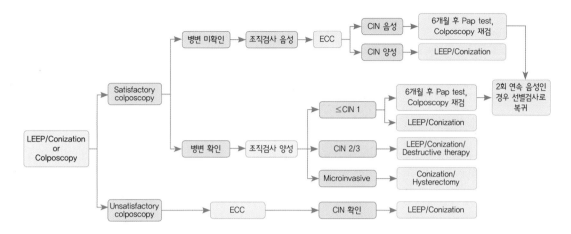

(9) 임신부의 고등급 편평상피내병변(HSIL)

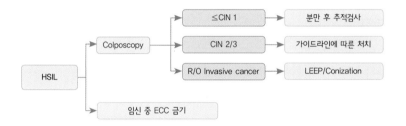

(10) 자궁경부 상피내종양의 치료법

① CIN 1

추적관찰
6개월, 12개월 후에 Pap test 시행 or 12개월 후 HPV 검사 시행 → 정상소견을 보이면 매년 Pap test 시행 Pap test에서 비정형 세포 or HPV 검사 양성 → 질확대경검사 시행
질확대경검사가 충분한 경우
국소파괴요법 혹은 절제술 시행 국소파괴요법을 시행하기 전 내자궁경부소파술을 시행하여 내자궁경부 병변을 확인 국소파괴요법 후 추적관찰 도중 자궁경부 상피내종양이 재발되면 절제술을 시행
질확대경검사가 불충분한 경우
진단적 절제술 시행 임산부, 면역 억제 여성, 사춘기 여성에서는 추적관찰 시행(국소파괴요법은 금기) 24개월 동안 지속적으로 CIN 1인 환자의 치료는 선택

② CIN 2/3

질확대경검사에서 전체 병변이 관찰되고, 내자궁경부소파술에서 음성인 경우
국소파괴요법(destructive therapy) 시행 침윤암이 있을 가능성은 0.5%로 낮기 때문
질확대경검사에서 전체 병변이 관찰되지 않는 경우
절제술(LEEP/conization) 시행 침윤암이 숨겨져 있을 가능성이 7%까지 보고, 국소파괴요법은 사용하지 않음

(11) 절제면 가장자리의 종양 유무에 따른 처치

① 국소파괴요법 이후에는 수술경계부위의 병변 유무를 판단 불가능 → 6개월 후 Pap test or 12개월 후 HPV 검사

② 절제면 가장자리의 종양 유무에 따른 처치

절제면 가장자리에 종양이 없는 경우
6개월 후 Pap test 또는 12개월 후 HPV 검사로 추적관찰
CIN2/3에서 절제면 가장자리에 종양이 있는 경우
자궁경부질세포진 검사를 6개월 후 시행 or 내자궁경부소파술 고려 or 침윤암이 의심되는 경우에는 재시술 또는 자궁절제술 시행
추적관찰
6개월 후 Pap test 또는 12개월 후 HPV 검사가 음성 → 선별검사로 복귀 6개월 후 시행한 Pap test에서 ASC-US 이상 → 비정상 Pap test의 처치를 따름 12개월 후에 시행한 HPV 검사가 양성 → 질확대경검사 시행

(12) 질 상피내종양(VAIN)

① 진단

a. 선별검사 : Pap test(지속적으로 이상소견을 보이지만 자궁경부 조직검사는 정상인 경우)

b. 진단검사 : 질확대경검사(colposcopy)

c. 확진검사 : colposcopy directed biopsy

② 치료

a. 저등급 질상피내종양(VAIN 1, vaginal LSIL)

- 특별한 치료를 하지 않고 경과관찰
- 침윤암으로 진행되는 경우가 거의 없고, 치료하지 않아도 39~85%에서 자연 소실
- 종종 여러 부위에 발생하고 절제요법 시행 후 빠른 재발을 보임

b. 고등급 질상피내종양(VAIN 2/3, vaginal HSIL)

- 침윤암으로 진행하거나 조기 침윤암과 관련될 수 있어 치료가 필요
- CO_2 레이저절제술(CO_2 laser ablation)
- 국소절제술(local excision)
- 질절제술(vaginectomy)
- 전질절제술(total vaginectomy)
- 비수술적 방법 : 5-FU, 방사선 근접치료

(13) 외음부 상피내종양(VIN)

① 특성

a. 대부분의 VIN에서 HPV DNA가 발견

b. 무증상(50% 이상), 가려움 같은 경미한 증상

c. 호발 부위 : 소음순과 질 입구

② 진단

    a. 육안 또는 질확대경이나 확대 가능한 렌즈
       사용

    b. 병변의 조직검사(biopsy)로 확진

③ 치료

    a. 외과적 치료

      - 냉도 절제술(cold knife surgery)

      - 고리전기절제술(LEEP)

      - CO_2 레이저절제술(CO_2 laser ablation)

    b. 내과적 치료

      - 시도포버(cidofovir)

      - 이미퀴모드(imiquimod)

Chapter 14 수술 전 평가, 수술 후 관리

(1) 무기폐(Atelectasis)

① 수술 후 발생하는 폐 합병증의 90% 이상을 차지

② 기관지가 폐쇄되거나, 깊게 숨을 쉬지 못하는 상황

③ 발생빈도가 가장 높은 시기 : 수술 후 3일간

④ 증상 : 미열, 호흡음 감소, 호흡곤란, 청색증 등

⑤ 진단 : 가슴 X-선, CT

⑥ 치료 : 기침, 분비물 흡입, 양압환기, 기관지 내시경, 감염이 생겼다면 항생제 치료

(2) 자가 통증 조절(Patient controlled analgesia, PCA)

① 통증 시작과 진통제 처방 및 투여 지연을 방지

② 한계량 이상의 마약이 투입되는 것을 방지

③ 진통효과가 좋음

④ 수술 후 폐 합병증 발생이 낮고, 진통제 근주 시와 비교해 의식의 혼동상태를 더 감소

(3) 예방적 항생제의 투여

① 모든 수술 환자에게 예방적 항생제를 투여하지 않음

② 균의 오염 이전, 조직에 항생제 침투 시 효과적
 - 자궁절제술의 경우 수술 30분 전에 투여가 효과적
 - 마취 유도 직전이나 유도 중 투여가 일반적

③ 단기간(24시간 이내) 동안만 투여하고, 일반적으로 한 번 투여로 가능

④ 단일투여의 장점 : 가격 절감, 독성 감소, 정상 숙주균의 최소변화, 저항균 발생 감소

⑤ 수술 중 항생제 재투여 : 약물 반감기 1~2배 이상의 수술시간, 1.5 L 초과하는 출혈

(4) 장폐쇄(Ileus)

① 개복이나 복강경 수술 후 대부분이 장폐쇄를 경험

a. 장을 만지거나 장시간 수술을 한 경우

b. 감염, 복막염 및 전해질의 불균형

② 장음 감소, 복부 팽만, 오심, 구토 지속 시 의심

③ 최소침습수술은 위장관손상 가능성이 높아 CT 시행

④ 검사 : simple abdomen, CT

⑤ 치료 : 위장관 감압 + 수액투여 + 전해질 교정

a. 대개 수일 내 호전, 위장관 기능이 돌아오면 비위관(NG tube)을 제거하고 유동식 시작

b. 비위관 삽입 48~72시간 이내 호전이 없으면 다른 원인 확인

(5) 혈전색전증(Thromboembolism)

① 수술 후 혈전색전증의 예방

약물적 예방법	물리적 예방법
저용량 미분획 헤파린(UFH) 저분자량 헤파린(LMWH)	탄력 스타킹 외부 공기압박

② 수술 후 심부정맥혈전증 및 폐색전증의 진단

심부정맥혈전증의 진단	폐색전증의 진단
하지혈관 도플러 초음파 정맥조영술(Venography) 자기공명정맥조영술(MRV) D-dimer	CT 폐혈관조영술 폐 환기-관류 스캔(V/Q scan) 심장 초음파

③ 수술 후 심부정맥혈전증 및 폐색전증의 치료

심부정맥혈전증의 치료

– 발견 즉시 항응고치료(LMWH 또는 UFH)를 시작
– 이후 3개월 동안 경구 항응고치료(와파린)를 유지

폐색전증의 치료

– 발견 즉시 항응고치료(LMWH 또는 UFH)를 시작
– 이후 6개월 동안 경구 항응고치료(와파린)를 유지
– 산소 공급 및 집중 관찰하의 호흡보조치료 시행
– 대량 폐혈전색전증의 중증(혈역학적으로 불안정)일 경우 수술 또는 카테터를 이용한 폐색전 제거술을 시도
– 폐동맥 카테터 삽입하 혈전용해제 투여 : 대량 폐색전증일 경우(우 심부전은 있으나 혈압은 안정적) 고려
– 하대정맥 차단(Vena cava interruption) : 하지나 골반에서 반복 적인 혈전이 발생할 경우, 항응고치료의 금기, 항응고치료 후 심한 출혈 시 시행

Chapter 15 부인과 내시경

(1) 치료적 복강경(Therapeutic laparoscopy)

장점	단점
입원기간 단축 수술 후 통증 경감 더 빠른 일상생활 복귀 유착의 생성 감소 복막의 외상 감소 복강 내 요염의 최소화 수술관리 간접 비용 감소	수술 부위의 제한적 시야 수술기구의 조작이 어려움 골반 장기 조종이 제한적 수술자의 경험, 교육 중요

(2) 복강경 시 진입위치

① 일차 접근 부위 : 배꼽(복막이 얇고 혈관이 없음)
② 복강 내 유착이 의심될 때의 대체 부위
- 왼쪽 위 사분면(LUQ, Left costal margin)
- Rectouterine pouch (pouch of Douglas)
- 자궁저부(fundus of uterus)

(3) 주입바늘(Insufflation needles)

바늘의 적절한 위치 소견	바늘의 위치 이상 확인
– 낮은 복강 압력(<10 mmHg) – 간의 둔탁음 소실 – 복부의 대칭적인 확장 – Xyphoid 압박 시 복압 증가	– 주사기로 흡인 – 생리식염수 주입 – 복벽 올릴 때 음압을 확인

(4) 복강 내 가스

① 가스의 양이 아닌 복강 내 압력으로 조절
② 25~30 mmHg 정도일 때 투관침(trocar) 삽입
③ 삽입관 위치 후 10~15 mmHg 정도로 압력을 유지

(5) CO_2 색전(CO_2 embolus)

증상	예방
– 갑작스러운 저혈압, 부정맥, 청색증, 심잡음 – End tidal CO_2 증가 – 폐부종, 우심부전 – Hypercarbia, acidemia	– 적절한 바늘 위치의 선택 – 투관침(trocar) 삽입 시 초기 복강 압력 25~30 mmHg → 수술 중 10~15 mmHg 유지 – 조직들의 주의 깊은 지혈

(6) 가스의 복강 외 주입

① 원인
a. 주입바늘(insufflation needle)의 잘못된 위치
b. 삽입관(cannula) 주위로의 CO_2 누출
② 대개 피하기종(subcutaneous emphysema)이지만 심할 경우 사지, 목, 종격까지 발생
③ 치료
a. 복강경 제거 후 다시 수술 시도 가능
b. 경증의 피하기종 : 복강 내 가스의 배출
c. 유출이 목까지 확장된 경우 : 수술 종료, CXR, 긴장성 기흉 발생 시 흉관이나 바늘 삽입

(7) 전극기구에 의한 합병증

(A) Insulation defects

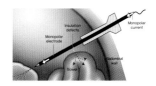

(B) Direct coupling

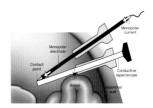

(C) Capacitive coupling

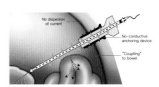

(D) Dispersive electrode burns

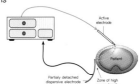

(8) 복벽 혈관 손상(Abdominal wall vessel injury)

① 손상 징후 : 삽입관에서 떨어지는 혈액, 수술 후 쇼크, 복벽 변색 또는 혈종, 직장주위나 외음부 종괴

② 가장 손상되기 쉬운 혈관

    a. Superficial inferior epigastric vessel

    b. Trocar 삽입 시 복벽의 투과조명법을 이용

③ 심각한 혈관 손상

    a. Deep inferior epigastric vessel

    b. 수술 중 처치 : Straight ligation

(9) 요관 손상(Ureteral injury)

① 원인

    a. 전기기구에 의한 손상 : 가장 흔함

    b. 기계적 절개(mechanical dissection) 시 손상

② 수술 중 손상이 의심되는 경우

    a. 열상 : 수술 중 indigo-carmine IV 후 누출 확인

    b. 폐쇄 : Indigo-carmine IV 후 cystoscopy 확인

③ 수술 후 확인 : Abdominal ultrasound, CT urogram

④ 인지 못한 요관 폐쇄 : 수술 후 수일~1주 후 옆구리통증, 발열 등 발생

(10) 진단적 자궁경(Diagnostic hysteroscopy)

적응증	
자궁 내 질환의 진단 및 치료 – 비정상 자궁출혈의 진단 – 점막하근종 – 자궁내막 용종 – 자궁내막유착증 자궁내피임장치 같은 이물질의 위치 확인	불임 환자 – HSG의 이상소견 – 보조생식술 전 검사 – 습관성 유산 – 자궁의 선천성 기형 – 난관개구술 자궁내막암의 수술 전, 후 자궁내부 검사

(11) 수술적 자궁경(Operative hysteroscopy)

① 자궁중격(uterine septum)

    a. 반복 유산 원인이 중격이면 중격절제술 시행

    b. 개복 자궁성형술만큼 임신력 향상 가능

② 자궁내막 용종(endometrial polyps)

③ 자궁근종(leiomyomas)

    a. 적응증 : 월경과다를 동반한 자궁강 내 근종, 불임 또는 재발성 자연 유산

    b. 자궁근종의 위치와 크기에 따라 수술 가능성 결정

    c. 근육침범 확인 : 초음파, 초음파 자궁조영술

    d. 수술 전 GnRH agonist : 점막하근종의 위축 유도

④ 자궁내막유착증(uterine synechiae)

⑤ 자궁내막절제술(endometrial ablation)

(12) 자궁확장매체

① 자궁경을 위해 자궁강의 압력은 적어도 30 mmHg

② 이산화탄소(CO_2)

장점	단점
– 공기와 굴절률이 동일해 수술 시야 확보가 용이 – 실제와 가장 유사한 상태를 확인 가능	– 시술 중 혈액과 조직파편 (debris)의 제거 불가능 – 자궁확장력이 떨어짐 – CO_2 색전의 발생 가능성

③ 생리식염수(normal saline)

    a. 고주파가 필요 없어 유용하고 안전한 매체

    b. 많은 양이 흡수되어도 전해질 불균형 유발 안함

    c. monopolar 사용 불가능, bipolar는 사용 가능

④ 고점성 용액(high viscosity fluid)

장점	단점
– 굴절률이 공기와 거의 유사 – 점도가 높아 혈액과 섞이지 않아 시야확보가 좋음 – 뛰어난 확장 능력	– 과민반응 – 수액 과부하 및 전해질 불균형 유발 가능 – 자궁경에 응고되어 붙음

⑤ 저점성 용액(low viscosity fluid)

장점	단점
– Monopolar 사용 가능 – 과민반응이 없음 – Continuous flow 이용 가능 – 저렴한 비용	– 혈량과다증, 저나트륨혈증, 삼투압저하증 유발 가능 – 주입량, 유출량의 감시 필요 – 출혈 시 시야 확보 어려움 – 자궁의 경련성 통증 가능성

자궁절제술

(1) 질식 vs 복식 vs 복강경 자궁절제술의 비교

질식 자궁절제술	복식 자궁절제술	복강경 자궁절제술
국소 or 전신 마취	전신 마취	전신 마취
약 4주간의 회복기	약 8주간의 회복기	약 4주간의 회복기
내부 절개	내부와 외부 절개	내부와 외부 절개
복부 절개 없음	외부의 큰 절개	1~4개의 작은 복부 절개
수술 후 합병증 가장 적음	수술 후 합병증이 가장 많음	수술 후 합병증 보통
가장 저렴한 비용	중간의 비용	가장 비싼 비용
가장 숙련된 기술이 필요	보통의 기술 필요	숙련된 기술이 필요
	자궁 크기에 상관없이 수술 가능	출혈이 가장 적음

(2) 자궁절제술(Hysterectomy) vs 상자궁경부 자궁절제술(Supracervical hysterectomy)

자궁절제술(Hysterectomy)	상자궁경부 자궁절제술(Supracervical hysterectomy)
– 자궁경부암, 자궁경부질환의 발생 위험성이 없음 – 수술 후 자궁출혈의 위험성이 없음 – 질 길이의 감소 – 증가 위험성 : 질원개 탈출, 질원개 육아종, 난관탈출	– 수술시간이 짧고 실혈량이 적음 – 비뇨기계적, 성적(sexual), 위장관계적인 향상은 없음 – 1~2%에서 자궁경부 제거를 위한 재수술 필요 – 주기적 출혈(cyclic bleeding)의 가능성 – 수술 전 자궁경부 세포검사가 정상이어야 하며, 이후 자궁경부암이나 자궁경부질환의 발생 위험성 존재

(3) 요로계 합병증

① 요정체(urinary retention)

  a. 원인 : 마취에 의한 방광이완 또는 통증

  b. 치료

    - 수술 후 도뇨관을 삽입하지 않았다면 12~24시간 동안 Foley 카테터 삽입

    - Foley 제거 후 배뇨가 힘들면 요도연축(urethral spasm) 의심 → 근육이완제 투여

② 요관 손상(ureteral injury)

  a. 자궁절제술 직후 옆구리통증을 호소 시 의심

  b. 가장 흔한 폐쇄부위 : ureterovesical junction

  c. 빈도 : Laparoscopic > Abd. > Vaginal hysterectomy

  d. 진단 : CT urogram, 소변검사, 정맥신우조영술(IVP)

  e. 치료 : cystoscopic catheter passage

③ 방광질 누공(vesicovaginal fistula)

  a. 빈도 : Laparo. > Abd. > Vaginal > Supracervical

  b. 수술 후 10~14일 후 나타나는 물 같은 질 분비물

  c. 진단 : CT urogram, 정맥신우조영술(IVP)

  d. 치료

    - 도뇨관(Foley cath.) 삽입 : 15% 정도는 지속적 배액을 통해 4~6주 후 저절로 막힘

    - 6주가 지나도 방광질루가 막히지 않는다면 수술적인 치료 시행

(4) 창상감염

① 복식 자궁절제술의 4~6%에서 발생

② 창상감염을 줄일 수 있는 방법

  a. 수술 전 샤워

  b. 제모의 생략

  c. 제모가 필요할 시 수술실에서 가위를 이용하는 것

  d. 부착성 수술포의 사용

  e. 예방적 항생제의 사용

Chapter 17 하부요로장애

(1) 요도(Urethra)의 기능을 구성하는 요인

내인성요인(Intrinsic factor)	외인성요인(Extrinsic factor)
– 요도벽의 횡문근 – 점막하 정맥총 – 요도벽 평활근, 관련 혈관 – 요도내막주름의 상피 접합 – 요도의 탄력성과 긴장도	– 내골반근막 : 가장 중요 – 항문올림근 – 내골반근막과 항문올림근의 부착상태
– 결함 시 내인성 괄약근 부전 (intrinsic sphincter deficiency) 에 의한 요실금 유발	– 결함 시 요도의 과운동성 (urethral hypermotility)에 의한 요실금 유발

(2) 복압성 요실금
(Stress urinary incontinence, SUI)

① 기침, 운동에 의해 복압이 높아질 때 방광압이 요도압보다 커져 소변이 새는 증상
② 가장 흔한 형태의 요실금(50세 미만에서 호발)
③ 원인
  a. 내인성 요도괄약근 기능 부전(요실금수술, 척수손상, 방사선조사 등의 과거력)
  b. 요도방광접합부(urethrovesical junction) 지지조직의 해부학적인 결핍

(3) 절박성 요실금
(Urgency urinary incontinence, UUI)

① 배뇨중추와 방광 사이의 경로에 이상 있을 시 발생
② 나이가 많은 여성에서 가장 많은 형태
③ 과민성 방광(overactive bladder, OAB)
  a. 절박성 요실금의 유무에 관계없이 절박뇨가 주로 빈뇨(OAB-dry), 야간뇨(OAB-wet)와 같이 있는 경우
  b. 요로감염 같은 국소적 병변이나 대사질환이 없어야 하고 단지 증상으로만 정의
④ 배뇨근 과활동(detrusor overactivity)
  a. 요역동학검사로 방광의 불수의적 수축을 확인

b. 분류 : 특발성 or 신경인성

(4) 일과성 요실금
(Transient urinary incontinence)

① 신체적 요인에 의해 일시적으로 나타나는 요실금
② 원인 : DIAPPERS(Delirium, Infection, Atrophic urethritis and vaginitis, Pharmacologic causes, Psychological cause, Excessive urine production, Restricted mobility, Stool impaction)

(5) 요실금의 부인과적 검사

① Q-tip test
  a. 면봉을 요도방광접합부의 안쪽까지 집어넣고 기침을 시켜 수평 상태에서 최대로 휘는 정도를 측정
  b. 전면의 질 지지구조와 요도의 과운동성 방지 기능이 손실된 경우 면봉이 위쪽으로 상승
  c. 요도의 과운동성 : 최대 각도 변화 20~30°
② 배뇨 후 잔뇨량 측정(Postvoid residual urine volume)
  a. 잔뇨량의 증가 → 방광의 기능적 용량이 감소
  b. 잔뇨량 200 mL 이상 : 확실한 소변 배출의 문제
③ 기침유발검사(Cough stress test)
  a. 방광이 충만할 때 기침으로 소변이 새는지 확인
  b. 배뇨근 과활동(detrusor overactivity)에 의한 절박성 요실금 때에도 발생 가능
④ 요역동학검사(Urodynamic tests)
  a. 방광 및 요도기능에 대한 모든 검사를 의미
  b. 모든 요실금 환자를 대상으로 시행되지는 않음

(6) 정상적인 여성의 방광기능

정상적인 여성 방광기능	
– 일 소변량 : 1,500~2,500 mL	– 용액을 채울 때 유발을 시키더라도 불수의적인 배뇨근의 수축은 없음
– 평균 소변량 : 250 mL	– 유발을 시키더라도 복압성 또는 절박성 요실금이 없음
– 잔뇨량<50 mL	– 배뇨근 수축을 수의적으로 시작, 유지해 배뇨가 유발
– 방광 용적 : 400~600 mL	– 배뇨압 <50 cmH$_2$O
– 강한 배뇨 욕구 : 250 mL	– 유속 >15 mL/sec

(7) 요실금의 일반적인 치료 원칙

	복압성 요실금 (Stress urinary incontinence)	절박성 요실금 (Urgency urinary incontinence)	범람 요실금 (Overflow incontinence)
1차 치료	행동치료(골반저근 운동)	행동치료(방광훈련)	간헐적 카테터삽입
2차 치료	약물치료 : 드물게 사용 (α-adrenergics, 에스트로겐)	약물치료 (항무스카린 제제, imipramine)	유치 카테터삽입
3차 치료	수술치료	수술치료 : 드물게 사용	치골 위 카테터삽입

(8) 비수술적 치료

① 생활양식의 변화 : 체중감량, 카페인 및 수분 섭취 감소, 복압 상승 상황에서 다리를 꼬는 등의 자세 변화

② 행동치료와 방광훈련 : 배뇨근 과활동(detrusor overactivity)에는 부적합한 치료법

③ 물리치료 : 골반저근 운동, 전기자극치료 등

(9) 약물치료

긴장성 요실금 (Stress urinary incontinence)	절박성 요실금 (Urgency urinary incontinence)	야간뇨(Nocturia) 야뇨증(Nocturnal enuresis)
α-아드레날린제제 – 요도와 방광목의 긴장도 유지 – 부작용 : 졸음, 입마름, 두통, 고혈압 β-아드레날린차단제 – 방광체부의 이완을 차단시키는 기능 – 부작용 : 기립성 저혈압, 부정맥, 심혈관계 부작용(고령), 간기능 이상 Estrogen – 부작용 : 자궁내막암, 불규칙 질 출혈	Anticholinergic agent – 배뇨근 과활동(detrusor overactivity) 억제를 위해 muscarinic 수용체에서 acetylcholine 효과를 억제함으로써 절박뇨 증상을 치료 – 부작용 : 입마름, 심박수 증가, 변비, 시야흐림 등	Desmopressin (DDAVP) – 아이들의 치료에 많이 사용되나 어른에게도 유용함 – Hyponatremia 유발 가능하므로 주기적인 serum Na 측정이 필요 Imipramine (Tricyclic antidepressants) – Anticholinergic or Antidepressant effect – 부작용 : 기립성 저혈압

(10) 수술적 치료

긴장성 요실금(Stress incontinence)	
질식 수술법	복식 수술법

– 전질벽 협축술(anterior vaginal repair or anterior colporrhaphy)
– 견인바늘걸기술(needle suspension procedures)
– 전통적 치골질걸이술(pubovaginal sling operation)
– 중요도 걸이술(mid-urethral slings) : 복압성 요실금 수술의 표준치료
  • 무긴장성 질테이프술(tension-free vaginal tape, TVT)
  • 경폐쇄공 테이프술(Transobturator Tape, TOT)
  • 미니슬링법(Mini-sling)
	– 복식 Burch 수술법
	– 복강경 Burch 수술법
	→ 요도와 방광목의 과운동성 교정을 위한 방법

절박성 요실금(Urgency urinary incontinence)	
– 행동요법에 실패하고 약물치료에 반응이 없는 경우 시행 – 거미막밑마취(subarachnoid block), 천골신경뿌리절제술(sacral rhizotomy), 방광 탈신경(bladder denervation) 등	

(11) 간질성 방광염(Interstitial cystitis)

① 다른 원인 없이 방광충만과 연관된 치골 상부 통증이 주간 빈뇨, 야간뇨, 절박뇨 등과 동반된 질환

② 증상 : 소변이 찰 때 심한 방광 통증을 호소, 배뇨 후 통증 감소, 주간 빈뇨, 야간뇨, 절박뇨가 흔히 동반

③ 진단 : 방광 내압 증가 시 혈관의 감소, 반점 출혈

④ 치료 : 증상에 대한 대증치료, 약물치료(요로계 진통제, TCA 항우울제, 항히스타민제, 스테로이드 등)

Chapter 18 골반장기탈출증

(1) 정의

전방 질벽탈출증(Anterior vaginal wall prolapse)

- 방광류(cystocele)
  - 질 전벽을 통해 방광이 이탈하는 것
  - Pubocervical musculoconnective tissue가 약해져 발생
- 요도 탈출(urethrocele) : Urogenital diaphragm 열상으로 발생

후방 질벽탈출증(Posterior vaginal wall prolapse)

- 탈장(enterocele)
  - 복막과 소장이 질강을 통해 탈출하는 것
  - Uterosacral ligaments와 rectovaginal space 사이에 발생
- 직장류(rectocele)
  - 직장이 질 후벽을 통해 탈출되는 것
  - 직장 근육과 질 주위 섬유근 결합조직 약화로 발생

자궁탈출증(Uterine prolapse) or 질원개탈출증(Vault prolapse)

- 자궁탈출증(uterine prolapse)
  - 자궁 자체가 질 입구로 내려오는 경우
  - Cardinal & uterosacral lig. 접착부인 질 첨단부 지지 약화
- 완전 자궁탈출증(procidentia) : 자궁과 질이 모두 탈출
- 질원개탈출증(vaginal vault prolapse) : 자궁절제술 후 질원개가 질강을 통해 탈출

(2) 발생 원인

① 골반바닥의 지지층이 약해지거나 손상 받은 경우
② 골반바닥 지지기능에 영향을 주는 요인
  a. 질식분만, 자궁절제술, 만성적 복압 상승 상황, 노화, 결체조직 이상 혹은 손상 등
  b. Levator ani muscle의 이상을 유발하여 발생
③ 위험인자 : 질식분만, 고령, 비만 등

(3) POP-Q 표준화체계

Points	Description	Range
Aa	Anterior wall 3 cm form hymen	-3 cm to +3 cm
Ba	Most dependent portion of rest of anterior wall	-3 cm to +tvl
C	Cervix or vaginal cuff	±tvl
D	Posterior fornix(if no prior hysterectomy)	±tvl or omitted
Ap	Posterior wall 3 cm from hymen	-3 cm to +3 cm
Bp	Most dependent portion of rest of posterior wall	-3 cm to +tvl
gh	생식구멍 길이(genital hiatus)	
pb	회음체 길이(perineal body)	
tvl	질 전체 길이(total vaginal length)	

(4) 골반장기탈출증의 비수술적 치료

① 적응증
  a. 중등도, 경도의 탈출증
  b. 향후 분만 계획이 있는 경우
  c. 반드시 수술이 필요하지 않은 경우
  d. 환자가 수술을 기피하는 경우
  e. 수술이 불가능한 내과적 상태
② 페서리(pessary)

적응증	주의점
- 수술을 원치 않는 환자 - 다른 질환으로 수술을 할 수 없는 환자 - 출산 후 발생한 탈출증의 일시적인 경감을 필요로 하는 환자	- 각자에 꼭 맞는 페서리를 사용하는 것이 중요 - 질이 에스트로겐화가 잘 되어 있어야 합병증이 적음 - 폐경 후 여성은 호르몬 대체요법 or 삽입 전 4~6주 질 내 에스트로겐 크림을 사용

(5) 골반장기탈출증의 수술적 치료

① 수술의 목적과 적응증
  a. 수술의 목적 : 탈출증의 증상을 개선, 정상적인 해부학구조로 개선, 성기능 회복, 요실금이나 변실금 같은 동반질환으로 인한 증상개선
  b. 적응증 : 페사리 삽입술이 실패, 빠른 치료를 원하는 경우, 요실금과 변실금 같은 동반된 탈출증의 증상이 있는 경우
② 수술의 종류
  a. 보조물 또는 이식물 이용 수술
  b. 중구획 수술 : vaginal hysterectomy, sacrospinous suspension, uterosacral ligament suspension, iliococcygeal ligament suspension, sacrocolpopexy
  c. 전구획 수술 : anterior vaginal colporrhaphy, paravaginal defect repair
  d. 후구획 수술 : posterior colporrhaphy, perineorrhaphy
  e. 질폐쇄술(colpocleisis)

Chapter 19 사춘기

(1) Tanner 발달단계

발달 단계	유방의 발달	음모의 발달
1단계	사춘기 전 단계 유두만 돌출	사춘기 전 단계 음모 없음
2단계	유방과 유두가 상승, 볼록해지고 유륜이 커짐	부드러운 직모가 대음순 내측경계에 약간 발생
3단계	유방과 유륜이 더 커지지만 윤곽에 차이 없음	더 짙어지고 곱슬곱슬해지며 많아짐 두덩이에도 발생
4단계	유륜과 유두가 유방 위로 이차 융기	거칠고 곱슬곱슬한 음모가 발달 아직 성인만큼 많지 않음
5단계	유두는 돌출되고 유륜이 퇴거 성숙한 유방모습 형성하여 성인 유형 완성	삼각형으로 분포 성인 유형 완성

(2) 여성과 남성의 성장 비교

	여성	남성
최고 성장속도 (peak growth velocity)	– Tanner 발달단계 2단계와 3단계 사이(유방의 발달이 시작된 이후) – 보통 초경 1년 전 11~12세경	– Tanner 발달단계 3단계와 4단계 사이 – 년 평균 9.5 cm 정도 성장 – 여성보다 약 2년 정도 늦음
성장 양상	– 최고 성장기를 지나 월경이 시작되고 이후에는 성장이 감소 – 초경 후 키 성장은 대개 6 cm 정도	
가장 중요한 성장인자	남녀 모두에게 estrogen이 가장 중요 • Estrogen 증가 → Growth hormone, IGF-1 증가 • Estrogen의 직접적인 작용	

(3) 사춘기 신체발달과 호르몬

시기	역할	증가 호르몬	연령
Adrenarche	부신피질의 기능항진 → 안드로겐 증가	Androgen	7~8세
Gonadrache	생식샘 기능의 시작 → GnRH 분비 증가 → LH, FSH pulsatile secretion	LH, FSH	10세
Thelarch	유방 발달의 시작	Estrogen	10세
Pubarche	음모, 액와모의 발달	Androgen	10.5세
Menarche	초경 → 월경의 시작	Estrogen	12.5세

(4) 사춘기 신체발달 순서

① 여성 : Accelerated growth → Breast budding → Pubic hair → Axillary hair → Peak growth velocity → Menarche → Ovulation

② 남성 : Testis enlargement → Pubic hair → Penile growth → Accelerated growth

(5) 성조숙증(Precocious puberty)

① 사춘기 발달이 비정상적으로 일찍(7세 이전) 시작

② 중추성 또는 진성 성조숙증

　a. 특발성 성조숙증 : 진성 성조숙증 중에서 영상학적 검사 상 뇌 병변이 발견되지 않은 경우

　b. 뇌의 기질적 병변에 의한 성조숙증 : 선천성 기형, 뇌종양, 감염, 손상, 전신질환 등의 원인

　c. 속발성 진성 성조숙증 : 가성 성조숙증이 장기간 지속되는 경우 뼈 나이가 사춘기 수준에 이르면 시상하부-뇌하수체-난소 축이 활성화되어 이차적으로 진성 성조숙증이 발생

③ 말초성 또는 가성 성조숙증 : 난소 종양, 자율성 난포낭, McCune-Albright 증후군, 갑상샘 기능저하증

④ 이성 성조숙증

　a. 어린 여아에서 다모증, 여드름, 음핵 비대 등의 남성화 증상이 나타나는 경우

　b. 선천성 부신증식증(CAH) : 이성 성조숙증의 가장 흔한 원인

　c. 3가지 효소의 결핍

　　- 21-hydroxylase deficiency

　　- 11β-hydroxylase deficiency

　　- 3β-hydroxysteroid dehydrogenase deficiency

(6) 성조숙증의 검사

기본 검사	추가 검사
- 문진 - 이학적 검사 - 질 상피 세포도말검사 - 골연령(bone age) 측정	- 초음파 검사 - 기저 혈청 호르몬검사 　(LH, FSH, E2, TSH, hCG, 　DHEAS, testosterone, 　17-OHP 등) - GnRH 자극 검사 - 뇌의 진단 영상학적 검사

(7) 성조숙증의 치료

① 프로게스테론 제제

　a. 종류 : MPA, Cyproterone acetate

　b. Gonadotropin 분비, 난소 steroid 생성 억제

　c. 키의 결손을 막는 데는 효과가 적음

② GnRH 작용제

　a. 진성 성조숙증 치료의 일차선택제제

　b. GnRH 수용체의 하향조절과 탈민감을 초래

　c. Gonadotropin 분비를 극도로 억제

(8) 사춘기 지연(Delayed puberty)

① 저생식샘자극호르몬 생식샘저하증 : 중추신경계 이상, 갑상샘기능 이상, 부신기능 이상

② 고생식샘자극호르몬 생식샘저하증 : 터너증후군, 순수 생식샘발생장애, 항암치료, 방사선치료

(9) 기타 비정상적인 사춘기

① 비동시성 사춘기(Asynchronous puberty)
  a. 정상 발달에서 벗어난 사춘기 발달을 보일 경우
  b. 가장 흔한 원인 : 안드로겐 무감응 증후군
② 이성 사춘기(Heterosexual puberty)
  a. 이차 성징이 반대성으로 발달하는 경우
  b. 가장 흔한 원인 : 다낭성 난소증후군 (PCOS)

(1) 정의

① 원발성 무월경(primary amenorrhea)

  a. 이차성징 발현이 없이 13세까지 초경이 없는 경우

  b. 이차성징은 있으나 15세까지 초경이 없는 경우

② 이차성 무월경(secondary amenorrhea)

  a. 월경을 하던 여성이 6개월 이상 월경이 없는 경우

  b. 과거 월경주기의 3배 이상의 기간 동안의 무월경

(2) 고생식샘자극호르몬 생식샘저하증

① 특성

  a. 원발성 생식샘부전에 의하여 생식샘 스테로이드 분비가 감소

    → 시상하부-뇌하수체 축에 대한 에스트로겐의 음성 되먹임의 감소

    → 생식샘자극호르몬인 LH, FSH 혈중 농도가 증가

  b. 가장 흔한 원인은 유전적 이상

② 터너 증후군(Turner syndrome)

  a. 핵형 : 45,X(가장 흔한 핵형, 60%)

  b. 생식샘부전, 원발성 무월경의 1st 염색체 이상

  c. 정상 지능, 작은 신장, 발육이 안 된 유방, 원발성 무월경, 빈약한 액모 및 음모

  d. 자궁, 난관은 미성숙하나 정상적, 흔적 생식샘

③ 스와이어증후군(Swyer syndrome)

  a. Yp11의 SRY 돌연변이에 의해 발생

  b. 염색체검사 : 46,XY(XY female)

  c. 임상소견

    - 내부 생식기 : 정상 구조, 미숙한 여성 양상

    - 외부 생식기 : 어린 여성의 외형

    - 유방 : 발육 부전

  d. 혈액검사

    - AMH, testosterone : 생성 없음

    - Testosterone : 정상 여성 수치

    - Estrogen : 감소 → 성적인 발달이 부족

④ 생식샘무형성(gonadal agenesis)

⑤ 선천성 지질부신증식증

⑥ 17α-hydroxylase 결핍증

⑦ 17-20 desmolase 결핍증

⑧ 방향화효소(aromatase) 결핍증

(3) 저생식샘자극호르몬 생식샘저하증

① 생리적 지연

  a. Hypogonadotropic hypogonadism 가장 흔한 원인

  b. 원인 : GnRH pulse generator의 재가동 지연

  c. GnRH의 농도

    - 연령에 비해서는 부족

    - 생리적 발달의 측면에서는 정상적

  d. 골 연령은 지연, 대개 신장이 작음

② Kallmann 증후군(Kallmann syndrome)

  a. 후각상실증을 동반한 생식샘기능저하증

    - 시상하부 GnRH 분비장애 → 생식샘저하증

    - 후각망울의 미형성 → 후각소실(anosmia)

  b. 염색체검사 : 46,XX (정상 여성)

  c. Testosterone, E2, progesterone, FSH 감소

  d. 임상소견

    - 이차성징 발달 지연, 무월경

    - 낮은 생식샘자극호르몬(gonadotropin)

    - 후각소실(anosmia), 색맹(color blindness)

(4) 유전질환(Genetic disorders)

① 5α-환원효소결핍증(5α-reductase deficiency)

a. Testosterone의 DHT로 전환 실패

b. 염색체검사 : 46,XY

c. 불완전 남성 가성 반음양증

- 성할당(sex assignment)은 여성(외형적 여성)

- 고환의 AMH 분비 → Müllerian 구조 없음

- DHT가 없어 외부 생식기 남성 분화 실패

- Testosterone → 남성 내부 생식기 정상적 분화

d. Testosterone : 증가(유방 발달을 억제)

② GnRH 수용체 돌연변이

③ 난포자극호르몬결핍증(FSH deficiency)

(5) 이차성징이 동반되지 않은 무월경의 진단

FSH 증가

고생식샘자극호르몬 생식샘저하증
(Hypergonadotropic hypogonadism)
→ 염색체검사 시행
→ 터너증후군, X염색체 부분결손, 섞임증, 순생식샘발생장애, 혼합 생식샘발생장애(45,X/46,XY) 등을 감별
→ 염색체검사가 정상이면 17α-hydroxylase 결핍증을 고려

FSH 감소

저생식샘자극호르몬 생식샘저하증
(Hypogonadotropic hypogonadism)
→ 유즙 분비, 두통, 시야결손 등 증상이 있는 경우
→ 두경부에 대한 CT, MRI를 시행
→ 기질성 병변이 없으면 시상하부의 기능장애 유발 원인을 확인(영양실조, 흡수장애, 체중 감소, 신경성 식욕부진, 과도한 운동, 심한 정신적 스트레스 등)

(6) 고생식샘자극호르몬 생식샘저하증의 치료

① 이차성징 발달 + 정상적 골 발달 + 골다공증 예방

a. 결합형 에스트로겐(conjugated estrogens)

b. 자궁 (+) : Estrogen + Progesterone 병합요법

② 17α-hydroxylase 결핍증 : Estrogen + Progesterone + Corticosteroid 투여

(7) 저생식샘자극호르몬 생식샘저하증의 치료

① 시상하부 근원 : 박동성 GnRH의 장기 투여, 성적 성숙이 될 때까지 cyclic E-P therapy

② Kallmann 증후군, 운동 or 스트레스 무월경, 신경성식욕부진과 체중감소 : 호르몬 요법, 저용량 경구피임제

③ 사춘기의 생리적 지연 : 시간이 지나면 정상적으로 발달함을 환자에게 교육시키고 안심시킴

(8) 5α-reductase 결핍증, Y염색체나 구조물이 존재

① 종양 발생 위험 : gonadoblastoma, dysgerminoma, yolk sac tumor

② 진단 즉시 생식샘 제거술(gonadectomy) 시행

(9) 유출로와 뮐러관 기형
(Outflow and Müllerian anomalies)

① 종류 : 처녀막힘증, 가로질중격

② 증상

a. 월경이 배출되지 않으며 나타나는 주기적인 통증

b. 질혈종, 자궁혈종, 혈복강, 자궁내막증이 발생

③ 치료 : 처녀막의 십자절개, 질중격 절제술

(10) 단각자궁과 비통행성자궁뿔

① 단각자궁과 한쪽 뿔 구조만 형성된 경우

② 특성 : 작은 자궁경부, 잘 발달되지 않은 반대쪽 질천장, 질은 주 자궁과 연결, 신장기형 동반이 흔함

③ 증상 : 초경 이후 심해지는 생리통과 주기적인 복통

④ 치료 : 자궁성형술(uteroplasty)

(11) Uterine didelphys with Obstructed
 HemiVagina and Ipsilateral Renal
 Agenesis(OHVIRA)

① 두자궁(uterine didelphys) + 질 폐쇄 + 동측 신
 장무형성(ipsilateral renal agenesis)
② 증상 : 초경 이후 심해지는 생리통과 주기적
 인 복통, 골반 종괴 혹은 질벽의 팽윤이 관
 찰, 일측 신장 무형성
③ 치료 : 질중격 절제술(excision of vaginal septum)

(12) MRKH 증후군(MRKH syndrome)

① Müllerian duct의 무형성 또는 형성저하
 a. 자궁, 난관이 없고, 질도 없거나 형성이 저하
 b. 난소 : 정상적으로 존재하며 기능도 정상적
② 원발성 무월경의 두번째로 흔한 원인
③ 염색체검사 : 46, XX (정상 여성)
④ 의심 : 정상 여성외형 + 원발성 무월경 + 비정
 상 질
⑤ 동반질환 : 비뇨기계 이상(m/c), 골격계 이
 상, 난청

(13) 아셔만증후군(Asherman syndrome)

① 자궁내막이나 경부의 손상으로 생성된 자궁
 내막유착에 의해 자궁강의 일부 또는 전부
 가 폐색되는 경우
② 위험인자 : 자궁내막소파술, 원추절제술, 골
 반내감염, IUD 관련 염증, 생식기결핵 등
③ 증상 : 이차성 무월경, 과소월경, 월경통, 유
 산, 불임
④ 자궁경으로 유착을 제거(hysteroscopic resection)

(14) 안드로겐 무감응(Androgen insensitivity)

① 유전자형이 남성(XY)이지만 안드로겐 수용
 체의 기능 결함에 의해 외부 생식기가 여성
 으로 발달

 a. 염색체 : 46, XY
 b. 난소는 없고, 고환이 복강 내 존재
② 증상
 a. 자궁, 난관, 질 상부 : 미발생
 b. 질 : 하부에서 맹관의 형태
 c. 치모와 액와모 : 없거나 희박
 d. 유방 : 충분히 발육
③ 검사소견
 - Testosterone : 정상 또는 약간 증가한 남성
 수준
 - AMH : 분비와 기능 모두 정상
④ 치료
 a. 사춘기 발육이 완전하게 된 후에 생식샘을
 제거
 b. XY 핵형 + 남성화가 나타나는 경우 : 즉시
 제거

(15) 고프롤락틴혈증(Hyperprolactinemia)

① Prolactin 증가는 GnRH 촉진으로 월경 이상
 을 초래
② 원인
 a. 임신, 뇌하수체선종, 중추신경계질환
 b. 도파민 분비를 방해하는 약물(항우울제,
 고혈압제, 진통제, 위궤양 치료제 등)
③ TSH, prolactin 증가 : 갑상샘기능저하증 먼저
 치료

(16) 원발성 난소기능부전
 (Primary ovarian insufficiency, POI)

① 선천적으로 난소에 보관된 난자가 적거나 난
 포의 퇴화가 가속되어 나타나는 난소부전
② 40세 이전 + 4개월 이상 무월경 + 폐경 수준
 의 FSH
③ 증상 : 안면홍조, 야간 발한, 정서불안 등
④ 원인 : 대부분 불명확

(17) 신경성 식욕부진(Anorexia nervosa)

　① 정상보다 15% 이상 낮게 체중 유지를 고집 +
　　 비만해지는 것에 대한 강렬한 공포 + 자신의
　　 신체상에 대한 변형된 지각 + 무월경
　② 검사소견
　　 - FSH, LH 감소, Cortisol 증가
　　 - CRH 투여에도 ACTH 반응이 거의 없음
　　 - T3 감소, reverse T3 증가, TSH, T4 정상

(18) 운동

　① 특징적 증상 : 무월경, 골다공증, 식사장애
　② 검사
　　 a. Hypogonadotropic hypogonadism : FSH 박동
　　　 빈도 감소로 GnRH 박동빈도 감소 확인
　　 b. Estrogen, bone densitometry(DEXA), leptin
　　　 확인
　③ 렙틴(leptin)
　　 a. 지방세포(adipocyte)에서 분비되는 에너지
　　　 항상성에 관여하는 호르몬
　　 b. 시상하부와 뼈에 수용체가 있으며, 월경
　　　 기능과 골밀도에 관여, 감소 시 무월경 초래

(1) 여성에서의 주요 안드로겐

안드로겐(Androgen)	혈중 농도 (ng/mL)	상대 활성도
DHEAS	1,600	5
DHEA	4.2	
Androstenedione	1.4	10
Testosterone	0.4	100
Dihydrotestosterone(DHT)	0.1	300

(2) 다모증(Hirsutism)

① 여성에서 남성형의 체모가 나타나는 것

② 원인 : 다낭성난소증후군, 특발성 고안드로
겐증, 특발성 다모증, 고안드로겐 인슐린 저
항성 흑색가시세포증후군(HAIRAN), 선천성
부신증식증, 안드로겐 분비 종양, 외부 요인

③ 혈액검사

   a. Total testosterone, Free testosterone

   b. DHEAS, 17-OH progesterone

   c. FSH, LH, prolactin, TSH

④ 치료

   a. 생활습관교정, 미용적 제모술

   b. 약물 치료 : 임신 계획 없을 때만 사용

     - Topical eflornithine

     - 호르몬억제제 : 경구피임제, long-acting
GnRH agonist, MPA, glucocorticoids

     - 스테로이드합성효소억제제 : Ketocon-
azole

     - 5α-reductase 억제제 : Finasteride

     - 항안드로겐 : Spironolactone, Flutamide 등

     - 인슐린 반응개선제 : Metformin

(3) 다낭성난소증후군

(Polycystic ovary syndrome, PCOS)

① 진단기준 : 3가지 중 2가지 이상을 만족

   a. 만성적인 월경 이상(oligo 또는 anovulation)

   b. 고안드로겐혈증(hyperandrogenism)

   c. 다낭성 난소(polycystic ovary)

② 임상증상

   a. 고안드로겐혈증 : 다모증, 여드름, 남성형
탈모

   b. 월경장애 : 무월경, 희발월경

   c. 비만, 인슐린 저항성, 고인슐린혈증

   d. HAIRAN syndrome : 심한 인슐린 저항성
상태

   e. HDL 감소, LDL & TG 증가

③ 호르몬검사

다낭성난소증후군의 호르몬검사	
FSH	Normal or Decreased
LH	Normal or Increased
LH/FSH	Normal or Increased >2~3
DHEAS	Normal or Increased <700 µg/dL
Testosterone	Normal or Increased <200 ng/dL
Prolactin	Normal or Increased <500 ng/mL
Estrogen	Increased
SHBG	Decreased

④ 장기적 건강 위험인자

   a. 내당능장애 및 당뇨 발생 증가

   b. 대사증후군(metabolic syndrome)

위험인자	기준치
허리 둘레	>88 cm(>35 inch) in USA >80 cm(>32 inch) in Asian women
Triglyceride	≥150 mg/dL
HDL cholesterol	<50 mg/dL
혈압	수축기 ≥130 mmHg or 이완기 ≥85 mmHg
공복 혈당	≥100 mg/dL 또는 기존에 진단된 당뇨

   c. 심혈관계 질환

   d. 자궁내막암, 난소암, 유방암 위험성 증가

⑤ 치료

   a. 생활습관 교정 : 식이조절, 체중감량

   b. 불규칙 월경주기 교정 : 경구피임제,

progesterone

c. 다모증 및 고안드로겐혈증의 치료

치료 원리	치료제
호르몬억제제	경구피임제, GnRH agonist, Glucocorticoids
스테로이드합성효소억제제	Ketoconazole
5α-reductase 억제제	Finasteride
항안드로겐	Spironolactone, Cyproterone acetate, Flutamide

d. 무배란과 불임의 치료 : clomiphene citrate, metformin, low dose gonadotropin therapy, 복강경 난소천공술, IVF-ET

(4) 쿠싱증후군(Cushing's syndrome)
　① Glucocorticoid의 만성적 상승에 의한 임상적 상태
　② 증상
　　a. 고안드로겐혈증 : 월경불순, 다모증, 여드름 등
　　b. 지방 조직의 얼굴, 목, 몸통 및 복부로의 재분포
　③ 치료 : 수술적 제거, 방사선치료, 약물치료

(5) 선천성 부신증식증
　(Congenital adrenal hyperplasia, CAH)
　① Cortisol의 합성에 필요한 효소에 이상이 생긴 경우
　② 21-수산화효소(21-hydroxylase) 결핍
　　a. 선천성 부신증식증의 가장 흔한 효소 결핍
　　b. 전형 선천성 부신과증식증
　　　- Hydrocortison 결핍 → ACTH 증가, 부신 과다비대
　　　- 선천성 부신증식증의 90%를 차지
　　　- 신생아에서 모호한 생식기를 유발
　　　- 음핵 비대, 소음순 주름 결합, 요도 남성화 증상

c. 비전형 선천성 부신과증식증
　- 21-hydroxylase의 부분결핍으로 발생
　- 유아 후기나 사춘기 초기에 조기 사춘기로 발현
　- 성인기에 다낭성난소증후군과 같은 증상
d. 진단

비전형적 형태 선천성 부신과증식증의 진단
아침에 가장 높은 농도를 보이는 17-OH 프로게스테론을 측정
　• ≤200 ng/dL : 선천성 부신과증식증을 배제 가능
　• ≥800 ng/dL : 21-hydroxylase 결핍 진단
　• ≥200 ng/dl : ACTH 자극검사가 필요
　　→ 합성 ACTH 0.25 mg, 정맥 투여
　　→ 1시간 후 혈장 내 17-OHP 측정
　　→ ≥1,500 ng/dL : 비전형 선천성 부신과증식증으로 진단

(6) 고프로락틴혈증(Hyperprolactinemia)
　① 미세샘종(microadenoma)
　　a. 단세포군(monoclonal)으로 유전적 돌연변이가 일어나면서 줄기세포의 성장억제가 해방되어 앞뇌하수체의 호르몬 생산과 분비 및 세포 증식이 발생
　　b. 예후
　　　- 일반적으로 좋은 예후(6%가 거대샘종으로 진행)
　　　- 무월경, 불임, 젖분비 과다의 증상이 있으면 치료 시행
　　c. 치료
　　　- 기대요법 : 임신을 원하지 않는 경우
　　　- 약물치료 : Bromocriptine, Cabergoline
　② 거대샘종(macroadenoma)
　　a. 1 cm 이상의 크기
　　b. 증상 : 심한 두통, 시야 장애, 경련, 인격장애, 뇌신경마비, 요붕증(diabetes insipidus)
　　c. 치료
　　　- 약물치료 : Bromocriptine, Cabergoline
　　　- 수술치료
　　　　• 약물치료에 반응이 없는 경우

- 지속적인 시야장애가 있는 경우
- 방사선요법 : 약물치료와 수술치료에 반
  응하지 않는 경우에 사용

(7) 임신 중 뇌하수체선종(pituitary adenoma)

① 임신 중 성장은 매우 드물고, 분만 후 수유
  가능
② 미세샘종(microadenoma)
  a. 임신 중 성장하여 치료가 필요한 경우는
    약 1%
  b. 도파민작용제 : 임신 확인 시 중지
③ 거대샘종(macroadenoma)
  a. 약 10%에서 임신 중에 종양이 성장
  b. 임신 전에 약물치료와 영상검사를 시행
  c. 임신 중 증상이 있는 경우 도파민작용제를
    사용

Chapter 22 불임

(1) 불임의 주요 원인

불임의 상대적 유병률(%)	
남성 요인	17~28
남성과 여성 모두의 요인	8~39
여성 요인	33~40
원인불명	8~28
여성 불임의 원인에 따른 유병률(%)	
배란장애	21~36
난관 또는 복막 요인	16~28
기타 원인	9~12

(2) 정액검사(Semen analysis)

정상 정액검사 소견	
용적(volume)	≥1.5 mL
산도(pH)	7.2~8.0
정자 농도(sperm concentration)	≥15x10^6/mL
총 정자수(total sperm number)	≥39x10^6/ejaculation
운동성(motility)	≥32%
정상 형태(normal forms)	≥4% (by strict criteria)
생존율(viability)	≥58%
백혈구(white blood cells)	<1x10^6/mL
Immunobead or mixed antiglobulin	<50%

(3) 역행성 사정(Retrograde ejaculation)

① 방광경부의 폐쇄부전으로 인해 후부요도에
   서 방광으로 정액이 역류되는 상태
② 원인 : 후복막강 내 림프절제술, 방광경부 수
   술, 당뇨, 다발성경화증, 척수손상, 항정신성
   약물, 알파차단제
③ 확진 : 사정 후 요 현미경검사상 정자가 관찰
④ 치료 : α-adrenergics, 정자채취 후 IUI or ART

(4) 인공수정(Intrauterine insemination, IUI)

① 처리된 정자를 여성의 생식기에 넣어주는 시술

② 원인불명의 불임과 남성 불임에 사용
③ 총 운동성 정자수(total motile sperm count,
   TMC)
   a. 5.0×10^6/mL 이상 : 최적의 임신률을 기대
   b. 1.6×10^6/mL : 임신이 가능한 최소한의 운
      동 정자수
   c. 0.5×10^6/mL 미만 : IVF, ICSI를 고려
④ 최대 3회의 IUI 실패 시 ICSI를 고려
⑤ ICSI : 남성 불임에서 임신율이 가장 좋은 방법

(5) 연령과 생식능력 감소의 기전

여성	남성
- Peak fertility : 20~25세 - 생식력 감소 : 30대 초 시작 - 30대 후, 40대 초 급격히 감소 - 난소 기능 감소가 가장 명확 - 난자의 양과 질 모두 감소	- Peak fertility : 35세 - 45세 이후 감소 - 80대에도 임신이 가능 - 어느 연령대도 임신 가능

(6) 난소예비력(Ovarian reserve)

① 검사의 적응증

난소예비력(ovarian reserve) 검사의 적응증	
- 35세 이상 - 설명되지 않는 불임 - 조기 폐경의 가족력 - 이전 난소 수술력	- 흡연 - Gonadotropin 자극에 저조한 반응을 보이는 경우

② Anti-Müllerian hormone(AMH)
   a. 난포의 잔존량을 반영
   b. 생식능력의 감소를 반영하는 가장 우수한
      지표
   c. 난소예비력 검사 방법으로서의 장점
      - 성선자극호르몬의 영향을 받지 않음
      - 월경주기에 따른 변화가 적고, 이른 시
        기부터 변화가 시작
   d. IVF 시 과잉반응 또는 저반응을 예측 가능

(7) 생리 주기에 따른 불임 검사

생리 주기에 따른 불임 검사
- 처음 방문 시 : Prolactin, TSH
- MCD 3 : Basal FSH, LH, E2, androgen
- MCD 6~12 : HSG(생리가 끝난 직후)
- MCD 10~14 : Postcoital test, cervical mucus test(배란 직전)
- MCD 21 : Midluteal progesterone
- MCD 24~26 : Endometrial biopsy
- 모든 검사가 끝난 후 필요 시 진단적 복강경 시행

(8) 무배란(Anovulation)의 분류 및 배란유도

제1군 : 시상하부-뇌하수체 기능 부전(hypothalamic-pituitary failure)

- 무배란 환자들의 약 5~10%가 해당
- 저생식샘자극호르몬 생식샘저하증(Hypogonadotropic hypogonadism)
- FSH, Estrogen 모두 저하된 형태
- 원인 : 신경성 식욕부진, Kallmann syndrome, Sheehan's syndrome, isolated GnRH deficiency, 과다한 스트레스, 지나친 운동
- 배란유도 : 박동성 GnRH, 생식샘자극호르몬(gonadotropins)

제2군 : 시상하부-뇌하수체 기능 이상(hypothalamic-pituitary dysfunction)

- 무배란 환자들의 약 70~85%가 해당
- 다낭성난소증후군(PCOS)이 대부분을 차지
- 정상생식샘자극호르몬 무배란(normogonadotropic anovulation)
  • FSH, Estrogen 모두 정상범위 ±고안드로겐증(hyperandrogenism)
- 배란유도 : 체중 감량, 인슐린감작제, 배란유도제, 방향화효소 억제제, 생식샘자극호르몬(gonadotropins)

제3군 : 난소기능부전(ovarian insufficiency)

- 무배란 환자들의 약 10~25%가 해당
- FSH 증가, Estrogen 저하
- 원인 : 원발성 난소기능부전(POI)
- 배란유도의 성공률이 매우 낮음 : 난자 공여를 추천

고프로락틴 무배란(hyperprolactinemic anovulation)

- FSH, Estrogen의 분비를 억제하여 무배란 유발
- 원인 : 신경이완약물(neuroleptic drug), 원발성 갑상샘기능저하증 (primary hypothyroidism)
- 배란유도 : 고프로락틴의 치료

(9) 난관폐쇄(Tubal occlusion)

난관폐쇄 부위	수술적 치료법
근위부 난관폐쇄	자궁난관조영술(HSG) 또는 자궁경(hysteroscopy) 시 도관삽입(catheterization)
원위부 난관폐쇄	채부유착박리(fimbriolysis), 채부성형술(fimbrioplasty), 신난관개구술(neosalpingostomy)
근위부와 원위부 폐쇄	체외수정

(10) 난관수종(Hydrosalpinx)

① 난관수종 내 액체가 배아의 발달과 착상을 방해

② 체외수정 전 난관절제술을 먼저 시행 시 체외수정 임신율과 출생률이 유의하게 증가

③ 난관폐쇄술 시행 후 체외수정도 임신율 향상 가능

(11) 중격자궁(Septate uterus)

① 수술로 임신율 향상을 기대 가능한 유일한 자궁기형

② 자궁경을 이용한 중격제거술 시행

(12) 자궁내유착(Intrauterine adhesion)

① 자궁경을 이용한 유착박리(adhesiolysis)

② 수술 후 유착의 방지

　a. Foley catheter를 7~10일간 자궁 내 유치

　b. 광범위 항생제 투여

　c. 2개월 고용량 estrogen-progesterone 치료

(13) 자궁내막용종(Endometrial polyp)

① 불임을 초래하는 기전 : 자궁내막의 수용성 장애

② 자궁내막용종절제술 : 인공수정 전 시행 시 임신율 증가

(1) 과배란유도 시 난소반응의 예측인자

① 환자의 연령
② 난소예비력(ovarian reserve)
   a. 월경 3일째 FSH, E2 검사
   b. Anti-Müllerian hormone(AMH)
   c. 동난포개수(antral follicle count, AFC)

(2) GnRH agonist 투여방법

① GnRH agonist 장기투여법(long protocol)
   a. 내인성 gonadotropin의 분비를 억제하여 외인성 gonadotropin을 투여해도 LH의 조기급증을 막을 수 있는 방법
   b. 체외수정의 표준적인 방법
② GnRH agonist 단기투여법(short protocol)
   a. 투여 초기 내인성 gonadotropin이 상승하는 agonist의 반응과 장기적으로 뇌하수체가 억제되는 것을 모두 이용하기 위한 방법
   b. 장기투여법의 임신율이 더 우수
③ GnRH antagonist 투여법
   a. 장점
      - Flare 효과가 없어 난소낭종, OHSS 위험성 적음
      - 내인성 LH의 조기 분비를 막는 효과가 즉각적이어서 estrogen 결핍증상이 없음
   b. 단점 : 매일 투여 때문에 환자 순응도가 필요

(3) 난소과자극증후군
   (Ovarian hyperstimulation syndrome)

① 종류

Early type OHSS	Late type OHSS
- hCG 투여 3~7일 후 발현 - 외부에서 투여된 hCG에 의한 발생	- hCG 투여 12~17일 후 발현 - 임신에 의해 분비되는 hCG에 의한 발생 - 다태임신에서 더 심한 증상

② 원인 : hCG에 의한 VEGF 증가
③ 증상 : 난소 증대, 과도한 스테로이드 생성, 복수, 흉수, 호흡부전, 혈액농축, 과응고, 난소 염전 또는 파열, 심한 전해질 장애, 메스꺼움, 구토, 설사, 발작, 신부전
④ 치료
   a. 경증 or 중등도 난소과자극증후군 : 경과관찰
   b. 중증 난소과자극증후군
      - 입원하여 대증적 요법 시행
      - 난소가 부서지기 쉬워 골반 내진은 금기
      - 복수천자(paracentesis)의 적응증
         • 증상의 개선이 필요할 때
         • 요감소(oliguria)
         • Creatinine 상승, creatinine clearance 감소
         • 저혈압과 동반된 다량의 복수
         • 내과적 치료로 호전이 안되는 혈액점도 증가
      - 시험적 개복술 : 출혈, 꼬임 의심 시

(4) 체외수정(IVF)의 적응증

① 난관요인 : 난관폐쇄나 난관절제술의 과거력
② 남성요인
③ 자궁내막증
④ 자궁경부 점액의 이상 및 면역학적 원인
⑤ 원인불명의 불임

(5) 배아의 평가

① ICSI 15~20시간 후 시행
② 정상적인 수정 : 중앙에 2개의 전핵과 제2극체 관찰

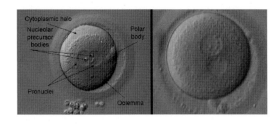

(6) 황체기 보강

① 난자 채취 후 1주일간은 충분한 양의 스테로이드가 생성되어 있어 외부 공급 불필요

② 난자 공여 같은 경우 외부 스테로이드에 전적으로 의존하므로 progesterone 투여가 필수적

③ 보강 방법

    a. Progesterone in oil 50 mg, 근주, 1회/day

    b. Crinone gel 8%, 질 내 투여, 1회/day

    c. Utrogestan 200 mg 질 내 투여, 3회/day

(7) ICSI의 적응증

ICSI의 적응증
- 남성 불임(male infertility)
• 정자수가 적은 경우(총 정자수 ≤5x10^6)
• 운동성이 낮은 경우(총 운동성 정자수 ≤1x10^6)
• 형태학적 이상(정상형태 정자의 비율 <4%)
• 무정자증에서 정자를 고환이나 부고환에서 채취
- 이전 고식적 시술에서 원인미상 수정 실패
- 동결보존 정자를 이용하여 체외수정을 하는 경우
- 척수손상, 사정장애, 역방향사정
- 남성이 HIV 양성자인 경우
- 채취된 난자 수가 적은 경우
- 동결보존 or 체외성숙된 난자를 이용한 체외수정
- 난자가 형태학적으로 비정상적인 경우
- 유전진단을 위한 제1극체생검, 할구생검이 필요

(8) 극체생검(Polar body biopsy)

① 6~8세포기 배아에서 할구세포 1~2개를 생검하여 유전진단하는 방법

② 8세포기 이전 할구세포 1~2개를 제거하여도 배아 성장 및 발달에는 지장이 없음

③ 부계와 모계로부터 받은 유전적 또는 염색체 구성에 대한 진단이 가능

(9) 할구세포생검(Blastomere biopsy)

① 6~8세포기 배아에서 할구세포 1~2개를 생검하여 유전진단하는 방법

② 8세포기 이전 할구세포 1~2개를 제거하여도 배아 성장 및 발달에는 지장이 없음

③ 부계와 모계로부터 받은 유전적 또는 염색체 구성에 대한 진단이 가능

(10) 난자(Ovum)의 동결보존

① 난소기능 소실 염려 환자의 가임력 보존

② 미혼 여성에서 추후 임신의 기회를 제공

③ 배아 동결보존의 법적, 윤리적 문제가 적음

(1) 주폐경기(Perimenopause)의 호르몬 변화

① Estrogen, inhibin 생성 감소, FSH 증가
② 난포 고갈로 난소의 FSH, LH에 대한 무반응
③ FSH는 증가하지만 난소의 음성되먹임은 없음
④ 호르몬분비 감소로 난포성숙 실패, 배란 감소

(2) 폐경(Menopause)의 호르몬 변화

호르몬	수치 변화
Inhibin	감소
FSH	증가
LH	증가
Estrogen	감소
Progesterone	감소
Testosterone (난소)	수년간 유지 후 감소
Testosterone (부신)	감소
Androstenedione (난소)	수년간 유지 후 감소
Androstenedione (부신)	수년간 유지 후 감소
DHEA (부신)	감소
DHEAS (부신)	유지

(3) 폐경 후 증상들의 발현

급성증상	아급성증상
안면홍조	비뇨생식기의 위축
발한	성교통
불면증	성욕 감퇴
전신의 통증	피부 노화
불안감, 초조, 근심	
기억력 감퇴	
우울증	

(4) 혈관운동증상의 치료

호르몬치료	비호르몬성 약물치료
Estrogen	Gabapentin
경구피임제	Clonidine
Progesterone	SSRI(paroxetine, venlafaxine)
비처방 물질	**생활방식의 변화**
Bellergal	체온감소
Isoflavone	건강한 몸무게 유지
대두단백(soy protein)	금연
승마(Black cohosh)	호흡조절
Vit. E	

(5) 골다공증(Osteoporosis)

① 위험인자

교정 불가능	교정 가능	내과적 문제
나이	Calcium/Vit.D 부족	갑상샘기능항진증
백인 or 아시아인	흡연	부갑상샘항진증
조기폐경	저체중	만성 신장질환
골절의 과거력	과도한 음주	제1형 당뇨
부모 대퇴골골절	운동 부족	쿠싱증후군
		류마티스관절염
		장기간 스테로이드

② 골형성 및 골재흡수 표지자

골형성 표지자	골재흡수 표지자
– 조골세포(osteoblast)를 반영	– 파골세포(osteoclast)를 반영
– Osteocalin	– Urine calcium
– Bone specific alkaline phosphatase(BAP)	– Hydroxyproline
	– NTx
	– CTx, ICTP
	– Urine deoxypyridinoline

③ 골다공증의 호르몬치료

골다공증의 치료
– 예방 : Calcium, Vit. D 섭취, 운동, 금연
– Estrogen or Estrogen + Progestin
– Tibolone
– Bisphosphonate
– Selective estrogen-receptor modulator(SERM)
– Parathyroid hormone
– Strontium ranelate
– Denosumab

(6) 자궁이 없어도 progestin 병합요법이 필요한 경우

① Endometrial Ca. stage I, low grade adenoca.
② 과거력 : endometriosis, endometroid tumor
③ 골다공증(osteoporosis)의 위험성이 높을 때
④ Triglyceride(TG)가 상승했을 때

(7) 호르몬의 지질에 대한 영향

	LDL	HDL	Cholesterol	TG
Estrogen	감소	증가	감소	증가
Progestin, Androgen	증가	감소		감소
Tamoxifen	감소		감소	
Raloxifene	감소		감소	

(8) 호르몬치료의 효과

	Estrogen therapy	E + P therapy
증가	뇌졸중(발생↑, 사망↓) 정맥혈전증, 폐색전증	뇌졸중, 알츠하이머, 치매 유방암, 난소암 정맥혈전증, 관상동맥질환
변화 없음	유방암(증가하더라도 미약한 증가, 장기간 복용 시 유의한 증가) 관상동맥질환	말초동맥질환 예방 인지장애 예방 심혈관질환 예방
감소	고관절 골절	고관절 골절, 직장/대장암

(9) 폐경 후 호르몬요법의 부작용

폐경 후 호르몬요법의 부작용

질 출혈(vaginal bleeding)
- 폐경 후 출혈이 있으면 반드시 자궁내막 조직검사를 시행
- 가장 흔한 원인 : 자궁내막위축(endometrial atrophy)
- 부정 출혈 : 자궁내막증식증, 악성의 증상일 가능성

유방통(breast tenderness)
- Estrogen과 progesterone의 유방조직 자극에 의해 발생
- Fibrocystic breast change 증가
- 용량, 투여 방법, 제제를 바꾸어 투여
  • 경구용 natural micronized progesterone
  • Cyclic progestins 1년에 3~4회 투여
  • Progestin IUD or vaginal progesterone cream

기분변화(mood change)
- Progestin에 의해 발생
- 생리전증후군과 비슷한 변화 유발
- 불안, 과민성, 우울 등을 유발
- 치료
  • Oral natural micronized progesterone
  • Cyclic progestins only 3 to 4 times per year
  • Progestin IUD or vaginal progesterone cream

체중 증가(weight gain)
수분 저류(water retention)

(10) 폐경 후 호르몬치료의 금기증

절대적 금기증	상대적 금기증
- Estrogen 의존성 종양 : 　유방암, 자궁내막암 - Estrogen 대사 관련 질환 : 　활동성 간 또는 담낭질환 - 진단되지 않은 비정상 생식기 　출혈 - 관상동맥질환, 뇌혈관질환, 　혈전색전증	- 심장질환 - 편두통 - 간, 담도 질환의 과거력 - 자궁내막암의 과거력 - 혈전색전증의 과거력

(11) 비뇨생식기의 위축의 치료

① 전신 estrogen : 질건조증, 성교통, 요증상
② 국소 estrogen
　a. 비뇨생식기 위축을 효과적으로 치료
　b. 질건조증, 성교통, 요증상, 요로감염 감소
　c. 질크림, 질좌제, 링형태

(12) Raloxifene의 영향

Raloxifene의 영향	
자궁내막	길항제(antagonist)로 작용 자궁내막의 두께 증가 없음 자궁내막암의 위험성은 차이 없음
유방	길항제(antagonist)로 작용 유방암의 위험성 감소
심혈관계	Total cholesterol, LDL 감소 HDL, TG 증가 없음
뼈	폐경 후 여성에서 사용 시 BMD 증가 폐경 전 여성에서 사용 시 BMD 감소

(13) 성기능 장애의 testosterone 투여

① Testosterone 수치가 낮고 특별한 이유가 없는
　폐경 여성의 성기능 장애에 사용
② 질 평활근 이완을 유도, 감각신경 수용체의
　기능유지에 관여 → 외성기 감각의 개선
③ 양측 난소절제술후 성기능 장애가 발생한 여성
　a. Testosterone 수치 약 50% 감소
　b. Estrogen + Testosterone 치료 시 성욕, 성환상,
　　성흥분 등이 향상

Chapter 25 항암화학요법

(1) 암의 세포주기

단계	특성
M	• 세포 분열기(mitotic phase) • 활발하게 분열하는 암세포는 항암제에 민감
G1	• 세포분열기후기(Postmitotic phase) • 단백질 합성 • 세포활성과 단백질, RNA 합성이 계속되는 가변적 단계로 가장 시간 변동이 큰 주기
S	• DNA 합성기(DNA synthetic phase) • 새로운 DNA 복제가 일어나는 단계 • 거의 대부분의 암에서 12~31시간으로 비슷
G2	• DNA 합성후기(postsynthetic phase) • RNA 합성 • 이배체 염색체, 정상세포 DNA 함량의 두 배인 기간
G0	• 휴지기(resting phase) • 세포가 분열하지 않는 시기(항암제에 둔감)

(2) 항암제의 임상시험

① Phase I : 용량에 따른 독성과 일정 등을 결정
② Phase II : Phase I에서 결정된 용량과 일정을 이용하여 특정 암에 적용
③ Phase III : 무작위 연구를 통해 치료 효과를 비교
④ Phase IV : 장기간의 안정성 및 부작용 평가

(3) 고형암 반응평가 기준법(RECIST, 2014)

항암제의 치료반응	
완전 관해(CR)	모든 표적 병변의 소실 모든 병리학적 림프절(표적 or 비표적)은 짧은 지름이 10 mm 미만으로 감소
부분 관해(PR)	표적 병변의 지름의 합이 기준선의 합보다 최소 30% 감소
무변화 질환(SD)	PR 기준을 충족할 만큼 충분히 축소되지도, PD 기준을 충족할 만큼 충분히 증가하지도 않은 경우
진행성 질환(PD)	표적 병변의 지름의 합이 연구상 최소 지름의 합보다 20%이상 증가 20%의 상대적 증가에 더불어 지름의 합이 5 mm 이상 증가 하나 이상의 새로운 병변의 출현도 진행으로 간주

Chapter 26 자궁내막증식증 및 자궁암

(1) 자궁내막증식증의 위험인자

Androstenedione 대사 변화	Estrogen 분비 질환
비만 당뇨병 고혈압 간질환	Granulosa cell tumor Thecoma Adrenocortical hyperplasia Polycystic ovary
호르몬 대체요법	**기타**
젊은 여성의 BSO Ovarian agenesis Primary ovarian insufficiency 갱년기증후군 여성 타목시펜(tamoxifen) 사용	만성 무배란증 늦은 폐경(55세 이후의 폐경) 미분만부

(2) 자궁내막증식증의 분류

자궁내막증식증의 분류(WHO)	암 발생률
Hyperplasia (typical)	
Simple hyperplasia without atypia	1%
Complex hyperplasia without atypia	3%
Atypical hyperplasia	
Simple atypical hyperplasia	8%
Complex atypical hyperplasia	29%

(3) 자궁내막증식증의 진단

① 초음파 시행시기
  a. 폐경 전 : 월경주기 5~10일째인 초기 증식기
  b. 폐경 후 : 언제든 시행 가능
② 자궁내막 조직검사가 필요한 경우

Premenopausal		Postmenopausal	
Asymptomatic	16 mm	Asymptomatic	8~11 mm
AUB	16 mm	AUB	5 mm

(4) 자궁내막증식증의 치료

① Progestin 치료
  a. 비정형성이 없는 경우의 치료에 가장 널리 이용
  b. Endometrial hyperplasia without atypia : 경구 progesterone 제재 사용(약 3개월간 복용)

c. Endometrial hyperplasia with atypia : Continuous progestin therapy

② 자궁내막소파술(Dilatation and curettage)

    a. 비정형세포를 포함하지 않는 단순 또는 복합 자궁내막증식증의 경우 시행

    b. 자궁내막소파술 3~6개월 후 반복 시행

    c. 복합 비정형자궁내막증식증에서 향후 임신을 원하는 경우 자궁내막소파술을 시행한 후 장기 progestin 치료와 배란 유도를 위한 치료를 지속적으로 시행

③ 자궁절제술(Hysterectomy)

    a. 더 이상 자녀계획이 없는 경우

    b. 비정형이 없더라도 약물치료에 실패한 경우

(5) 자궁내막암 병인의 종류

에스트로겐 의존성 종양(Estrogen-dependent)

- Type I endometrial carcinoma
- PTEN tumor suppressive gene 돌연변이와 연관
- 가장 많은 형태(약 75~85%)
- 젊은 여성 및 길항작용이 없는 내인성 또는 외인성 에스트로겐에 노출된 과거력이 있는 폐경기 전후의 여성에서 발생
- 자궁내막증식증에서 시작하여 악성 종양으로 발전
- 에스트로겐 비의존성 종양보다 분화 및 예후 양호

에스트로겐 비의존성 종양(Estrogen-independent)

- Type II endometrial carcinoma
- p53 돌연변이와 연관
- 자궁내막에 대한 에스트로겐 자극이 없었던 여성에서 발생
- 나이가 많은 여성, 폐경기 이후 여성, 마른 여성과 아프리카계 미국 여성, 아시아계 여성에서 호발
- 위축성 자궁내막의 배경에서 발생된 것으로 생각
- 에스트로겐 의존성 종양보다 분화도 및 예후 불량

(6) 폐경 후 출혈(Bleeding)의 원인

폐경 후 출혈의 원인	Percent age
Exogenous estrogens	30%
Atrophic endometritis/vaginitis	30%
Endometrial cancer	15%
Endometrial or cervical polyps	10%
Endometrial hyperplasia	5%
Miscellaneous (e.g., cervical cancer, uterine sarcoma, urethral caruncle, trauma)	10%

(7) 폐경 후 자궁출혈(Uterine bleeding)의 원인

폐경 후 자궁출혈의 원인	Percentage
Endometrial atrophy	60~80%
Estrogen replacement therapy	15~25%
Endometrial polyps	2~12%
Endometrial hyperplasia	5~10%
Endometrial cancer	10%

(8) 자궁내막암의 위험인자

Characteristic	Relative Risk
미분만부	2~3
늦은 폐경	2.4
비만(obesity)	1.5~2.5
9~22 kg 과체중	3
>22 kg 과체중	10
당뇨(Diabetes mellitus)	2.8
길항작용 없는 estrogen 치료	4~8
Tamoxifen	2~3
Atypical endometrial hyperplasia	8~29
Lynch II syndrome	20

(9) 자궁내막암 선별검사가 필요한 고위험군

① 선별검사가 필요한 고위험군

    a. HNPCC 관련 유전적 돌연변이, Lynch II syndrome

    b. Progestin 없이 에스트로겐 지속 노출된 폐경 여성

    c. PCOS 같이 무배란 주기가 있는 폐경 전 여성

② 선별검사 방법

    a. 35세 이상에서 1년 마다 자궁내막 조직검사 시행

    b. HNPCC 돌연변이, Lynch II syndrome 확인된 경우

      - 질 초음파, 자궁내막 조직검사, CA-125

      - Mammography, colonoscopy

(10) 자궁내막암의 FIGO stage

Stage	Description
I	자궁에 국한된 종양
IA	자궁근층 1/2 미만을 침범한 경우
IB	자궁근층 1/2 이상을 침범한 경우
II	Cervical stroma 침범하였지만 자궁 밖 확장 없음
III	종양의 국소적 또는 지역적 확산
IIIA	자궁의 serosa 또는 adnexa를 침범한 경우
IIIB	Vagina 또는 parametrium을 침범한 경우

Stage	Description
IIIC	Pelvic or para-aortic lymph node에 전이된 경우
IIIC1	Positive pelvic lymph nodes
IIIC2	Positive para-aortic L/N ±Positive pelvic L/N
IV	Bladder 또는 bowel mucosa 또는 원격전이
IVA	Bladder 또는 bowel mucosa에 침범한 경우
IVB	복강 내 or inguinal nodes 전이를 포함한 원격전이

(11) 자궁내막암의 치료 – Stage I, II

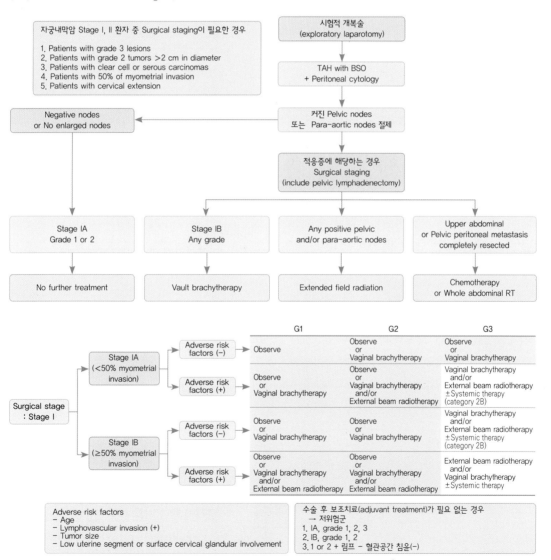

141

(12) 충수 및 대망절제술을 함께 시행하는 경우

① 조직학적 분류상 non-endometrioid cancer

② Papillary serous carcinoma, Mixed Müllerian tumor, Clear cell carcinoma

(13) 골반과 대동맥주변 림프절 절제술의 적응증

① 조직분화도 G2, G3

② 암 직경 ≥2 cm, 골반림프절 암 전이 (+)

③ Adenosquamous Ca, Clear cell Ca, Papillary adenoca

④ 자궁근층 침윤(myometrial invasion) ≥50%

⑤ 자궁외조직의 침범

(14) 수술 후 보조요법

① 수술 후 보조치료가 필요 없는 경우 → 저위험군

　a. Stage IA, grade 1, 2, 3

　b. Stage IB, grade 1, 2

　c. a or b + 림프-혈관공간 침윤(-)

② 방사선치료 : 현미경적 잔류암 제거를 위해 시행

(15) 자궁내막암의 치료 - Stage III, IV

① Stage III

　a. Hysterectomy with BSO

　b. 육안적 모든 병변을 제거, 외과적 병기설정

　c. 보조치료, 외부 골반 방사선치료 시행

② Stage IV

　a. 수술, 방사선치료, 호르몬치료, 항암화학치료 병행

　b. 완화치료(palliative treatment)

(16) 자궁내막암의 재발

① 초기 자궁내막암으로 치료받은 환자 약 1/4이 재발

② 재발 환자 1/2 이상이 2년 이내, 3/4이 3년 이내

③ 재발 부위 : vaginal wall(33%), pelvis(20%), lung(17%)

(17) 악성도가 낮은 간질성 육종(Low-grade ESS)

① 핵분열상(mitotic figure) : <10 MF/10HPF

② 재발이 느리고, 국소재발이 원격전이보다 호발

③ 진단 시 40%가 자궁외 전이, 이중 2/3는 골반 국한

④ 최초 치료 후 평균 5년 후에 약 50%에서 재발

⑤ 재발암, 전이암 발생 후 오래 생존하며 완치 가능

⑥ 치료

　a. Hysterectomy with BSO

　b. 방사선치료 : 부적절한 절제, 골반에 국소적 재발

　c. 호르몬치료 : 대부분의 ESS는 ER, PR 양성

(18) 자궁평활근육종(Leiomyosarcoma, LMS)

① 대부분 기존의 평활근종(leiomyoma)과 무관

　a. 주로 자궁평활근에서 새로 발생

　b. 양성 평활근종에서 자궁육종성 변화 : 0.13~0.81%

② 위험인자

　a. 아프리카계 미국여성(African Americans)

　b. 이전 골반 방사선치료 과거력 : 환자의 약 4%

③ 증상 : 질 출혈, 골반동통, 복부-골반 종괴

④ 불량한 예후의 예측인자 : 3가지 중 2가지 이상 시

　a. 핵분열상(mitotic figure) >10 MF/10HPF

　b. 심한 세포 비정형성(severe cytologic atypia)

　c. 응고성 종양 괴사(coagulative tumor necrosis)

⑤ 치료

　a. Hysterectomy with BSO

　　- 치료의 기본이자 유일하게 이점이 입증

　　- 폐경 전 여성에서는 BSO 제외를 고려

　b. 병기에 따른 치료 시행

(19) 악성 혼합 뮐러종
  (Malignant mixed Müllerian tumors)
  ① 위험인자
    - 골반 방사선치료의 과거력
    - 아프리카계 미국여성(African Americans)
    - 내과적 질환 : 비만, 당뇨, 고혈압 등
  ② 증상 : 폐경 후 자궁출혈, 질 분비물, 복통 등
  ③ 치료
    a. Hysterectomy with BSO + 수술적 병기설정
    b. 모든 전이성 병변을 절제
    c. 고등급 자궁내막암과 동일하게 치료
    d. 수술 후 방사선치료는 수술 소견에 따라
      결정

(1) 자궁경부암의 위험인자

자궁경부암의 위험인자	
낮은 사회경제적 상태	HPV 감염
성관계 및 출산력	경구피임제
– 이른 성관계(《16세)	남자 파트너의 영향
– 다수의 성 파트너	이전의 비정상 pap smear
– 이른 임신	선별검사 미실시
– 많은 출산력	영양 결핍
인종 : African-American	난관 손상으로 인한 불임
흡연	DES exposure
면역억제상태	

(2) 인유두종 바이러스(HPV) 감염

① 자궁경부 이형성과 발암의 초기 이벤트

② HPV가 변이를 일으키는 자궁경부세포 : basal cell

③ HPV의 E6, E7 단백질이 환자의 종양억제유전자인 p53과 Rb유전자를 불활성화
- HPV E6 protein : p53 degradation
- HPV E7 protein : Rb inactivation

④ 고위험 유형 : HPV 16, 18번(62% of cervical cancer)

(3) 자궁경부암의 예방

① 4가 & 9가 예방백신(가다실, Gardasil®)

a. 3회 접종 : 0, 2, 6개월

b. 2회 접종 : 0, 6개월

c. 접종 일정이 지연된 경우 다시 백신 일정을 시작할 필요는 없음

d. 1차 혹은 2차 접종 후 일정이 지연된 경우 가능한 빨리 남은 횟수를 접종

② 2가 예방백신(서바릭스, Cervarix®)

a. 3회 접종 : 0, 1, 6개월

b. 2회 접종 : 0, 6개월

c. 접종 일정 유동성 필요 시 2차는 1차 후 1~2.5개월 사이에, 3차는 1차 후 5~12개월 사이에 투여

d. 3차 접종 지연은 가능한 빨리 3차 접종을 시행

(4) 자궁경부 상피내선암

(Adenocarcinoma in situ of cervix)

① 편평상피와 원주상피의 접합부에서 생기는 병변

② 침윤성 선암(invasive adenocarcinoma)의 전구병변

③ 치료

a. 임신력 보존을 원하지 않을 때 : 자궁절제술

b. 임신력 보존을 원할 때 : 자궁경부 원추절제술

- 반복적인 conization으로 절제경계면의 잔류병변 음성 확인 → 이후 Pap과 ECC를 6개월 간격으로 시행 → 출산 후 자궁절제술(hysterectomy)

- 절제경계면에 병변이 없다면 반복적인 검사를 하며 경과관찰

(5) 임상적 병기설정(Clinical staging)에 필요한 검사들

필수적인 검사	선택적인 검사
이학적 검진	Lymphangiography
림프절 촉진	초음파(Ultrasound)
질 시진	전산화단층촬영(CT)
양손 직장-질 내진 검사	자기공명영상(MRI)
방사선 검사	양전자방출단층촬영(PET-CT)
정맥신우조영술(IVP)	방사성 골스캔(Bone scan)
바륨 관장(Barium enema)	**→ 영상진단 또는 수술 조직의**
가슴 X-선(Chest X-ray)	**검사 결과는 2018 개정된**
골격 X-선(Skeletal X-ray)	**FIGO 병기에 반영될 수 있게**
시술	**변경**
조직 생검(Biopsy)	
원추절제술(Conization)	
자궁경 검사(Hysteroscopy)	
질확대경검사(Colposcopy)	
내자궁경부소파술	
(Endocervical curettage)	
방광경 검사(Cystoscopy)	
직장경 검사(Rectoscopy)	

(6) 많이 사용되는 종양표지자

① SCC, CEA, CA-125, tissue polypeptide 항원, CYFRA 21-2
② 진행성 자궁경부암에서 의미 있게 증가

(7) 자궁경부암의 FIGO stage

Stage	Description
I	종양이 자궁경부에 국한
IA	현미경적으로 종양의 침윤의 깊이 <5 mm
IA1	자궁경부 간질 침윤의 깊이(stromal invasion depth) <3 mm
IA2	자궁경부 간질 침윤의 깊이(stromal invasion depth) ≥3 mm 그리고 <5 mm
IB	종양 침윤의 깊이(invasion depth) ≥5 mm
IB1	종양의 최대 직경(greatest dimension) <2 cm
IB2	종양의 최대 직경(greatest dimension) ≥2 cm 그리고 <4 cm
IB3	종양의 최대 직경(greatest dimension) ≥4 cm
II	종양이 자궁 밖으로 침윤, 질 하부(lower) 1/3 및 골반벽까지 침윤 안된 경우
IIA	종양이 질 상부(upper) 2/3에 국한(자궁주위조직 침윤 없음)
IIA1	종양의 최대 직경(greatest dimension) <4 cm
IIA2	종양의 최대 직경(greatest dimension) ≥4 cm
IIB	자궁주위조직 침윤(parametrial invasion, 골반벽까지는 침윤 없음)
III	종양이 질 하부(lower) 1/3까지 침윤 and/or 골반벽까지 침윤 and/or 수신증 또는 비기능성 신장 and/or 골반 (and/or) 대동맥주변 림프절에 전이
IIIA	종양이 질 하부(lower) 1/3 침윤, 골반벽까지는 침윤 안된 경우
IIIB	종양이 골반벽까지 침윤 (and/or) 수신증 또는 비기능성 신장
IIIC	골반 (and/or) 대동맥 주위 림프절에 전이(종양의 크기와 진행과는 무관)
IIIC1	골반 림프절(pelvic lymph node)에만 전이
IIIC2	대동맥주변 림프절(para-aortic lymph node) 전이
IV	종양이 골반(true pelvis) 밖으로 진행 또는 방광이나 직장의 점막 침윤(조직학적으로 진단)
IVA	인접 골반장기(adjacent pelvic organs) 침윤
IVB	원격 장기(distant organs) 전이

(8) 임상적 병기에 따른 자궁경부암의 치료

Stage	Disease	Treatment
IA1	<3 mm, LVSI (−)	Conization or Extrafascial Hyst
	<3 mm, LVSI (+)	Modified Rad Trachel or Modified Rad Hyst + pelvic lymph or SLN
IA2	≥3 mm, <5 mm	Modified Rad Trachel or Modified Rad Hyst + pelvic lymph or SLN
IB1	≥5 mm, <2 cm	Mod Rad/Rad Trachel or Mod Rad/Rad Hyst + pelvic lymph or SLN
IB2	≥2 cm, <4 cm	Rad Hyst + pelvic lymph
IB3	≥4 cm	Chemoradiation, pelvic field
IIA1	<4 cm + upper vagina	Rad Hyst + pelvic lymph or chemoradiation
IIA2	≥4 cm + upper vagina	Chemoradiation, pelvic field
IIB	Parametrium (+), pelvic wall (−)	Chemoradiation, pelvic field

IIIA	Lower vagina (+)	Chemoradiation, pelvic field
IIIB	Pelvic wall (+) or Hydronephrosis	Chemoradiation, pelvic ±extended field
IIIC1	Pelvic lymph nodes (+)	Chemoradiation, pelvic ±extended field
IIIC2	Para-aortic lymph nodes (+)	Chemoradiation, pelvic + extended field + systemic chemotherapy
IVA	Adjacent pelvic organs (+)	Chemoradiation, pelvic + extended field or pelvic exenteration
IVB	Distant organs (+)	Systemic chemotherapy ±radiation, pelvic or modified field

- 4 cm 이상의 병변은 수술 후 방사선치료가 필요
- LVSI : lymph-vascular space invasion
- Mod : modified
- Rad : radical

- Trachel : trachelectomy
- Hyst : hysterectomy
- lymph : lymphadenectomy
- SLN : sentinel lymph node biopsy in selected cases

(9) 선행 항암화학치료
　(Neoadjuvant chemotherapy)
　① 국소적으로 진행된 자궁경부암의 표준치료
　② NCCN 진료권고안
　　a. 제1군 항암제 : Cisplatin 기반 단일 또는 복합요법
　　b. 병합요법 약물 : paclitaxel, ifosfamide, bleomycin, vincristine, 5-FU, mitomycin 등
　　c. 표준치료로 명확히 권장되는 프로토콜이 없음

(10) 동시 항암화학방사선치료(CCRT)
　① 방사선치료를 통한 국소치료 효과를 얻음과 동시에 항암제가 radio-sensitizer로 작용하여 암세포들의 방사선치료에 대한 반응성 증가
　② 항암화학방사선치료를 일차치료로 시행하는 경우
　　a. Stage IA2, IB, IIA 수술 후 다음 중 한가지 이상
　　b. 수술소견
　　　- Positive pelvic lymph nodes
　　　- Positive parametrial invasion
　　　- Positive vaginal resection margin

(11) 초기 자궁경부암(Stage IA2~IIA) 중 재발위험군
　① 3년 이내에 30~40% 재발 위험
　② 위험인자

중등도 위험인자(Intermediate risk factors)
- 종양의 큰 크기 : >4 cm
- 깊은 자궁경부 간질 침윤 : middle or deep 1/3
- 림프-혈관공간 침윤(LVSI) : 가장 의미가 적음

고위험인자(High risk factors)
- 림프절 침윤(lymph node involvement) : 가장 중요
- 수술 후 조직검사상 절제면 양성
- 자궁주위조직 침윤(parametrial involvement)

　③ 수술 후 중등도 or 고위험인자가 있을 경우 보조 방사선치료(adjuvant radiation therapy) 또는 항암화학방사선치료(chemoradiation therapy) 고려

(12) 재발성자궁경부암
　① 골반벽 침범 및 재발을 시사하는 임상적 징후
　　a. 한쪽 다리의 부종(unilateral leg edema)
　　b. 좌골통(sciatic pain)
　　c. 요관폐쇄(ureteral obstruction)
　② 진단
　　a. 혈청 종양표지자 : SCC, CEA, CA-125
　　b. 확진 : 세침흡인생검(fine-needle aspiration, FNA)
　③ 재발한 자궁경부암은 항암화학치료로 완치가 불가능
　　a. Cisplatin, Carboplatin, Paclitaxel, Topotecan
　　b. Cisplatin + Topotecan

(13) 임신 중 진단된 자궁경부암

① 의심되는 병변은 조직검사 시행

    a. 펀치 생검(punch biopsy) : 안전하게 시행 가능

    b. 내자궁경부소파술(endocervical curettage) : 임산부에게 금기

    c. 원추절제술(conization)

      - 적응증

        • Pap에서 악성세포가 나오고 colposcopy 와 조직검사에서 침윤암을 배제하기 힘든 경우

        • 조직검사에서 미세침윤암이 의심되는 경우

      - 합병증(유산, 조산) 증가 → 필요한 경우만 시행

      - 1삼분기 시행 시 유산 위험 → 2삼분기 시행

② 병기에 따른 치료

Stage IA
Stage IA1
– 분만 시기 : 만삭에 질식분만(vaginal delivery) 시행
– 분만 6주 후 다시 평가
Stage IA2 or LVSI (+)
– 분만 시기 : 만삭까지 기다리거나, 폐 성숙 확인 후 분만
– 제왕절개 후 즉시 mod. radical hyst. + pelvic L/N 절제

Stage IB
임신 주수와 환자가 원하는 바에 따라 치료 결정

Stage II~IV
표준 치료 : 방사선치료(radiation therapy)
태아가 생존 가능성이 있으면 제왕절개 후 방사선치료(radiation therapy) 시행

Chapter 28 질암

(1) 발생 빈도

① 편평세포암(squamous cell carcinoma)
- 가장 흔한 형태 : 약 80~90%
- 평균 발생 연령 : 약 60세

② 악성 흑색종(malignant melanoma) : 2nd 형태

③ 선암(adenocarcinoma) : 가장 드문 형태

(2) 증상 및 진단

① 통증 없는 질 출혈, 과다한 질 분비물

② 선별검사 : 질의 세심한 육안적 관찰이 중요

③ 확진검사 : 의심되는 병변의 조준 생검

(3) 병기설정(FIGO stage, 2018)

Stage	Description
I	종양이 질에 국한되고 2 cm 이하인 경우(T1a) 가까운 림프절(N0)이나 먼 부위(M0) 전이 없음
	종양이 질에 국한되고 2 cm 이상인 경우(T1b) 가까운 림프절(N0)이나 먼 부위(M0) 전이 없음
II	암이 질벽을 통해 자라났지만 골반벽까지 자라지 않고 2.0 cm 이하인 경우(T2a) 가까운 림프절(N0)이나 먼 부위(M0) 전이 없음
	암이 질벽을 통해 자라났지만 골반벽까지 자라지 않고 2.0 cm 이상인 경우(T2b) 가까운 림프절(N0)이나 먼 부위(M0) 전이 없음
III	암의 크기는 제한이 없지만 골반벽으로 성장 and/or 질의 아래쪽 1/3까지 성장 and/or 신장에 문제를 일으키는 소변의 차단(수신증)을 유발하는 경우(T1 ~ T3) 골반이나 서혜부 부위(N1)의 인근 림프절로 퍼졌지만 먼 부위(M0) 전이는 없음
	암이 골반벽으로 성장 and/or 질의 아래쪽 1/3까지 성장 and/or 신장에 문제를 일으키는 소변의 차단(수신증)을 유발(T3) 가까운 림프절(N0)이나 먼 부위(M0) 전이 없음
IV	
IVA	암이 방광 또는 직장 침윤 또는 골반에서 성장(T4) 골반이나 서혜부의 림프절로 전이 또는 미전이(any N), 먼 부위(M0) 전이 없음
IVB	암이 폐나 뼈와 같은 원격 장기로 전이(M1), 크기 제한은 없음(any T) 인근 림프절로 전이 또는 미전이(any N)

(4) 치료

① 수술적 치료의 적응증

  a. 질 후벽 상부를 침범한 Stage I
- Radical vaginectomy + pelvic lymphadenectomy
- 자궁 침범이 있을 경우 : 근치적 자궁절제술
- 절제면 음성, 림프절 음성 : 추가치료 필요 없음

  b. 직장-질 또는 방광-질 누공이 있는 Stage IV
- Primary pelvic exenteration + pelvic and para-aortic lymphadenectomy

  c. 방사선치료 후 골반 중심에서 재발한 경우
: 골반내용물적출술(pelvic exenteration)

  d. 림프절 절제, 병기설정술 후 방사선치료 시행

② 방사선치료(radiation therapy)

    a. 수술적 치료의 적응증을 제외한 모든 환자에게 선택되는 치료법

    b. 작은 표재성 병변 : intracavitary radiation

    c. 크고 두꺼운 병변 : external teletherapy 후 intracavitary & interstitial therapy

(5) 예후

① 직장, 방광, 요관의 합병증 : 가장 흔함

② 추적검사 : Pap smear를 포함한 내진(치료 후 1년까지 매월 → 이후 2년은 2개월마다 → 이후 6개월마다)

Chapter 29 난소암

(1) BRCA 관련 난소암의 특징

① 보통염색체 우성(autosomal dominant) 유전

② 유전자의 위치 및 빈도

　a. BRCA1 : 17q21, 유전성 난소암의 75%

　b. BRCA2 : 13q12~13, 유전성 난소암의 15%

③ BRCA1 돌연변이 난소암의 대부분은 p53 과
발현을 동반하는 고등급 장액성 난소암 장
액성암(serous carcinoma) → platinum based 항
암화학요법에 더 민감

(2) 유전성 난소암 고위험군의 관리

① 유전상담, 30~35세부터 6개월마다 질초음파,
CA-125

② 젊고, 아직 가족 구성 전이라면 경구피임제

③ 가임력을 원하지 않는 경우 35세 이후 예방적
BSO

　a. BRCA1 carriers : 35~40세에 시행 권장

　b. BRCA2 carriers : 40~45세에 시행 권장

④ BRCA mutation (+)

　a. 예방적 유방절제술 시행

　b. 25~29세 : 6~12개월마다 유방검진, MRI

　c. 30세 이상 : 매년 mammography, MRI

⑤ Lynch syndrome(HNPCC) 여성

　a. 20~25세 또는 가족의 대장암 진단 2~5년
전부터 1~2년마다 대장내시경

　b. 30~35세부터 1~2년마다 자궁내막조직
검사

　c. 가임력 (-) : 40대부터 hysterectomy + BSO

(3) 난소암의 선별검사

① 난소암 발생 고위험군에서만 시행

② 골반 내진, CA-125, 초음파의 병합을 권장

CA-125의 증가(정상 : 0~35 U/mL)		
난소암	자궁내막증	신부전
양성 난소종양	골반염, 복막염	다른암(자궁내막암,
자궁근종, 자궁선근증	간염, 췌장염	폐암, 유방암)

(4) 난소종양의 초음파 소견

악성을 시사하는 소견	양성을 시사하는 소견
– 표면이 불규칙한 고형종양 – 복수(ascites) – 최소 4개의 유두상돌기 – 10 cm 이상의 다방형 고형 종양(multilocular solid tumor) – 강한 혈류가 보이는 종양 – 두꺼운 낭종벽(thick wall) – 급격하게 자라는 경우 – Cul-de sac nodules	– 단방형 낭종(unilocular cyst) – 최대 7 mm 이하 고형 성분 – Acoustic shadow 종양 – 표면이 매끄러운 10 cm 미만의 다방형 종양(multilocular tumor) – 색 도플러 초음파 검사에서 혈류가 없는 종양 – 얇은 낭종벽(thin wall)

(5) Human epididymis protein 4 (HE4)

① 부고환 내피세포에서 분비, Protease inhibitor
기능

② 난소암 조직에서 과발현 되는 특징

　a. 월경주기, 자궁내막증, 호르몬제에 영향
없음

　b. CA-125에 비해 폐경 전 여성에서도 높은
특이도

(6) 난소종양의 수술 적응증

① 폐경 전 여성 : 악성 소견을 보이는 큰 종양인
경우

② 폐경 후 여성 : 악성이 의심되는 경우(크기
무관)

(7) 상피성 난소암의 예후인자

병리학적인자(Pathologic factors)

- 형태(morphology)
- 조직학적 패턴(병변의 architecture, grade 포함)

임상적인자(Clinical factors)

- 독립적인 예후변수 : 병기, 일차수술 후 잔여질환의 정도, 복수의 양, 나이, 환자의 상태
- 난소암의 파열
  - 수술 전 파열은 예후를 악화
  - 수술 중 파열은 예후를 악화시키지 않음
- 초기 질환의 불량한 예후변수 : tumor grade, capsular penetration, surface excrescences, malignant ascites

(8) 수술적 병기설정

Stage	Description
I	난소와 난관에 국한된 종양
IA	한쪽 난소(난관)에 국한, 난소(난관) 표면에 종양이 없고, 복수나 복강세척액에서 악성세포 없음
IB	양쪽 난소(난관)에 국한, 난소(난관) 표면에 종양이 없고, 복수나 복강세척액에서 악성세포 없음
IC	한쪽 또는 양쪽 난소(난관)에 국한된 종양, 그리고 다음 중 하나인 경우
IC1	수술 중 피막 파열
IC2	수술 전 자연 피막 파열
IC3	복수 혹은 복강세척액에서 악성세포 확인
II	골반 내 파급을 동반한 한쪽 혹은 양쪽 난소(난관)에 국한된 종양
IIA	자궁 혹은 난관(난소)으로 파급 혹은 전이
IIB	다른 골반 조직으로 파급
III	한쪽 또는 양쪽 난소(난관), 복막에 종양이 있으면서 골반을 넘어 복강 내로 전이 ± 후복막 림프절(retroperitoneal lymph nodes) 전이 양성
IIIA1	후복막 림프절(retroperitoneal lymph nodes)만 양성
IIIA1(i)	전이의 최대 직경 ≤10 mm
IIIA1(ii)	전이의 최대 직경 >10 mm
IIIA2	골반외복강 내 현미경적 파종이 확인 ± 후복막 림프절(retroperitoneal lymph nodes) 전이 양성
IIIB	현미경으로 확인된 복막 내 종양 착상(최대 직경 ≤2 cm) ± 후복막 림프절(retroperitoneal lymph nodes) 전이 양성
IIIC	현미경으로 확인된 복막 내 종양 착상(최대 직경 >2 cm) ± 후복막 림프절(retroperitoneal lymph nodes) 전이 양성
IV	복막 전이를 제외한 원격 전이
IVA	흉수(pleural effusion)에서 악성세포 확인
IVB	복강을 벗어난 원격 전이 또는 서혜부 림프절이나 복강의 림프절을 벗어난 전이의 확인

(9) 난소암의 수술적 병기설정 방법

① 복부의 수직절개
② 복수와 복강세척액을 통한 세포검사
③ 횡격막과 복강의 시진과 촉진
④ 의심 부위나 복막 표면의 유착 조직검사
⑤ 횡격막의 생검 및 샘플링
⑥ 결장위대망절제술(supracolic omentectomy)
⑦ 골반 및 대동맥주변 림프절 평가를 위한 후복막 공간(retroperitoneal space)을 탐색

(10) 경계성 종양(Borderline tumor)의 치료

① 경계성 난소암 Stage I의 치료

    a. 출산을 원치 않는 여성 : 자궁절제술과 양측 난소난관절제술을 포함한 병기 결정 수술

    b. 출산을 원하는 여성 : 난소낭종절제술 혹은 난소난관절제술을 시행

② 경계성 난소암 Stage II~IV의 치료

    a. 최대 종양 감축술(cytoreductive surgery)

    b. 수술 후 보조 항암화학요법에 대해서는 원칙적으로 추천되지 않음

③ 경계성 점액성 종양(borderline mucinous tumors)은 충수돌기종양과 관련이 있을 수 있으므로 충수절제술도 함께 시행

(11) 초기 상피성 난소암의 예후인자

Low risk	High risk
Low grade	High grade
Intact capsule	Tumor growth through capsule
No surface excrescences	Surface excrescences
No ascites	Ascites
Negative peritoneal cytology	Malignant cells in fluid
Unrupture, intraOP rupture	Preoperative rupture
No dense adherence	Dense adherence
Diploid tumor	Aneuploid tumor

(12) 조기 난소암의 치료

조기 난소암, 저위험군(Stage I, low risk)	조기 난소암, 고위험군(Stage I, high risk)

- 철저한 병기설정술과 난소 이외로 퍼진 증거가 없는 경우
  → abdominal hysterectomy + bilateral salpingo-oophorectomy
- 가임력 유지를 원하는 Stage IA, grade 1~2
  → unilateral salpingo-oophorectomy (자궁과 반대쪽 난소 보존)
  • 정기적 추적관찰 시행 : 골반검진 및 혈청 CA-125
  • 다른 난소와 자궁은 출산 완료 후 제거
	- 철저한 외과적 병기설정술 시행
	- abdominal hysterectomy + bilateral salpingo-oophorectomy
	- 수술 후 보조 항암화학요법(adjuvant chemotherapy) 시행
	  • CP chemotherapy(carboplatin + paclitaxel) 3~6회 투여
	  • 항암제 투여가 어려운 경우 : carboplatin 단일제제 투여
	  • 치료 후 임신에 영향을 미치지 않음

(13) 진행된 병기의 상피성 난소암(Advanced-stage ovarian cancer)의 치료

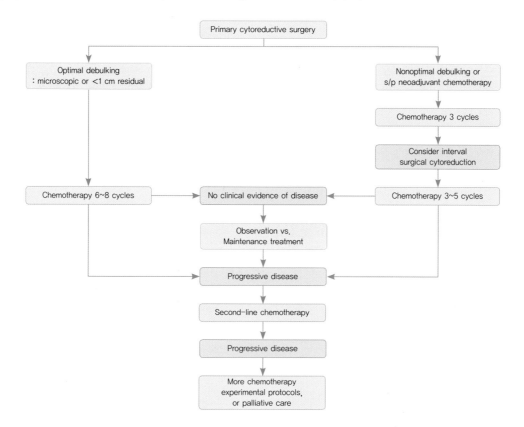

(14) 복합 항암화학요법

① 권장요법 : Paclitaxel + (Carboplatin or Cisplatin)

② Paclitaxel, carboplatin에 과민반응이 있는 경우

  a. 대체약물 : docetaxel, nano paclitaxel, cisplatin

  b. Carboplatin 탈감작 시도

  c. 예방 약물 : dexamethasone, diphenhydramine or pheniramine, cimetidine

(15) 복강 내 항암화학요법

  (Intraperitoneal chemotherapy)

① 적응증

  a. 적절한 일차 종양감축술 시행(잔류종양 <1 cm)

b. 독성을 견딜 수 있는 환자의 상태

② 장점 및 부작용

장점
- 약물의 높은 복강 내 농도
- 복강 내 약물의 더 긴 반감기
- 항암제에 장기간 전신 노출

부작용
- 카테터 관련 : 감염, 유착
- 복강 내 투여 합병증 : 복통, 불편감, 메스꺼움
- 고용량 항암제 합병증 : 급성 및 만성 대사 불균형, 신경독성

(16) 항암화학치료 중 발생한 febrile neutropenia의 치료

① Laminar flow room으로 격리

② 광범위 항생제(broad spectrum antibiotics)

③ 위장관계의 세척

④ 항생제 사용 48~72시간 후에도 효과가 없으면 amphotericin 투여

(17) Bevacizumab

① 난소암에서 단일제제로 효과를 보이는 표적 약물
② VEGF-A와 결합하여 VEGF가 수용체와 결합하는 것을 억제하는 항체
③ 독성, 부작용 : 고혈압, 피로감, 단백뇨, 장 천공 등
④ VEGF(vascular endothelial growth factor)
　a. 종양의 혈관생성에 중요한 역할
　b. 표적치료 방법 : VEGF 억제, VEGF 수용체 억제, 수용체 이하 신호전달 체계의 tyrosine kinase를 억제

(18) 악성 종양과 종양표지자

Tumor	AFP	hCG	LDH
Dysgerminoma	–	+/–	+
Endodermal sinus tumor	+	–	–
Immature teratoma	+/–	–	–
Embryonal carcinoma	+/–	+	–
Choriocarcinoma	–	+	–
Polyembryoma	+/–	+	–

(19) 생식세포종양(Germ cell tumor)

① 난소종양의 20~25% 차지, 악성은 3%
② 20세 이전 난소종양의 70%, 1/3이 악성
③ 평균 발생연령 16~20세, Stage I이 50~75%
④ 가장 흔한 양성 종양 : dermoid cyst
⑤ 가장 흔한 악성 종양 : dysgerminoma

(20) 미분화세포종(Dysgerminoma)

① 가장 흔한 악성 생식세포종양
② 전 연령대에서 발생 가능, 10~30세 사이에서 호발
③ Gonadotropin-producing syncytiotrophoblastic cell을 가진 경우 hCG 혹은 LDH 상승

④ 비정상적인 생식샘을 가진 표현형 여성 : 5%
　a. 46,XY : Pure gonadal dysgenesis
　b. 45,X/46,XY : Mixed gonadal dysgenesis
　c. 46,XY : Androgen insensitivity syndrome
⑤ 진단 시 65%가 Stage I
　a. 한쪽 난소에 국한된 경우 : 85~90%
　b. 양쪽 난소에 발생한 경우 : 10~15%
　c. 생식세포종양 중 유일하게 양쪽 발생 가능
⑥ 치료
　a. 수술(surgery)
　　- 임신력 보존 (+) : unilateral oophorectomy
　　- 임신력 보존 (-) : hysterectomy + BSO
　　- Y 염색체 (+) : 양쪽 난소는 제거, 자궁은 보존
　　- Dysgerminoma, Stage I : 수술만으로 충분, 보조 항암화학요법 필요 없음
　b. 항암화학요법(chemotherapy) : BEP, VBP

(21) 미성숙 기형종(Immature teratoma)

① 두번째로 흔한 악성 생식세포종양
② 등급(grade)
　a. 예후를 나타내는 가장 중요한 인자
　b. Grade가 높을수록 예후 불량
③ 수술(surgery)
　a. 폐경 전 : unilateral oophorectomy, Staging
　b. 폐경 후 : hysterectomy with BSO, Staging
④ 항암화학요법(chemotherapy)

보조 항암화학요법 (+)	보조 항암화학요법 (-)
- Stage IA, grade 2, 3 - Grade 상관없이 복수 (+) - 약물 : BEP, VAC, VBP	- Stage IA, grade 1 - 매우 좋은 예후

(22) 내배엽동종양(Endodermal sinus tumor, EST)

① 세번째로 흔한 악성 생식세포종양
② 발생 연령 : 16~18세, 1/3이 초경 전
③ 100% 일측성(unilateral)
④ 초경 전 환자에서 수술 전 염색체 분석 시행
⑤ 종양표지자

a. AFP(α-fetoprotein) : 대부분의 EST에서 분비

b. AAT(α-1 antitrypsin) : 드물게 분비

⑥ 현미경적 소견 : Schiller-Duval body

⑦ 치료

    a. 수술(surgery)

      - Surgical exploration + Unilateral salpingo-oophorectomy + Frozen section

      - Hysterectomy + contralateral salpingo-oophorectomy : 치료결과에 영향이 없음

      - 수술적 병기설정 : 모든 환자가 항암화학요법을 시행하므로 의미 없음

    b. 모든 환자가 보조적 or 치료적 항암화학요법 시행

(23) 과립막-간질세포종
(Granulosa-stromal cell tumor)

① 악성 성기삭-간질종양(sex cord-stromal tumor)의 70%

② 임상증상

    a. Estrogen 연관 증상

초경 전 여성(Prepubertal girls)
- 성조숙증(precocious puberty)
- 이차성징 : 유방 증대, 주기적 자궁출혈, 액와모 및 음모 성장

가임기 여성(Reproductive age women)
- 불규칙 월경(menstrual irregularities)
- 이차성 무월경(secondary amenorrhea)
- Cystic endometrial hyperplasia

폐경 후 여성(Postmenopausal women)
- 생리양상의 불규칙 자궁출혈(menstrual-like AUB)
- 자궁비대(uterine hypertrophy)
- Endometrial hyperplasia(25~50%)
- Endometrial cancer(최소 5%)

    b. 복부팽만, 복통

③ 치료

    a. 대부분 수술 자체로 일차적 치료 가능

    b. 상피성 난소암의 수술적 원칙과 동일

    c. Stage IA

      - 가임력 보존 (+) : Unilateral oophorectomy

      - 가임력 보존 (-) : Hysterectomy + BSO

d. 동결절편에서 granulosa cell tumor의 확인

    - 병기설정술(staging operation)

    - 반대쪽 난소가 커져 있으면 조직검사

e. 자궁을 보존하는 경우 자궁내막조직검사 시행

(24) Krukenberg 종양(Krukenberg tumor)

① 특성

    a. 특징 : 점액으로 차 있는 signet ring cells

    b. 난소 전이암의 30~40%, 난소암의 2%

    c. 흔히 양측성(bilateral)으로 존재

② 원발성 종양의 위치

    a. 위(stomach) : 가장 흔한 위치

    b. colon, appendix, breast, biliary tract 등

    c. Abd-pelvic CT, GI endoscopy로 병변 확인

Chapter 30 외음부암

(1) 외음부 편평세포암의 특성 및 원인

	Basaloid, Warty types	Keratinizing, Differentiated, Simplex types
분포	다발성(multifocal)	단일성(unifocal)
발생 연령	젊은 여성	고령
원인	HPV 감염과 연관 usual type VIN 흡연, 면역억제	HPV 감염과 무관 differentiated type VIN lichen sclerosus, 만성 피부염

(2) 편평세포암(Squamous cell carcinoma)

① 침윤성 외음부암(invasive vulvar cancer)의 90~92%

② 임상소견

  a. 주로 폐경 후 여성에서 발생, 대부분 무증상

  b. Lichen sclerosus 또는 VIN의 오랜 과거력

  c. 발생 위치 : 대음순과 소음순(60%)

③ 진단 : 질확대경, 의심부위 조직검사

④ 림프절 전이(lymph node metastasis)

  a. 질환 초기에 발생 가능

  b. 침윤 깊이 ≤1 mm : 림프절 전이 0%

  c. 림프절 전이 개수 : 가장 중요한 단일 예후 인자

(3) 병기설정

Stage	Description
I	종양이 외음부에 국한
IA	종양 크기 ≤2 cm + stromal invasion ≤1 mm
IB	종양 크기 >2 cm or stromal invasion >1 mm
II	종양의 크기에 관계없이 주변의 조직에 침범(항문, 요도 하부 1/3, 질 하부 1/3) + 림프절 전이 (−)
III	종양의 크기나 주변 조직으로의 침범에 관계없이 서혜부-대퇴부림프절에 전이
IIIA	종양의 크기에 관계없이 주변 조직(요도 상부 2/3, 질 상부 2/3, 방광 점막, 직장 점막)으로 침범 또는 국소 림프절 전이, 크기 ≤5 mm
IIIB	국소 림프절 전이, 크기 >5 mm
IIIC	피막외침범을 동반한 국소 림프절 전이
IV	뼈에 고정된 모든 크기의 종양 또는 고정된 궤양성 림프절 전이 또는 원격 전이
IVA	골반 뼈에 고정된 종양 또는 고정되거나 궤양성 국소 림프절 전이
IVB	원격 전이(distant metastases)

(4) 외음부암의 치료

외음부암 수술적 치료의 기본 원칙

− 미세침윤암(크기 ≤2 cm, 침윤 ≤1 mm) : 광범위 외음부절제술
− 서혜부림프절절제술 시 기본적으로 동측 림프절절제술 시행
− 분리절개술(separate incision)을 이용
− 1 cm 경계 두고 광범위 국소절제술(wide local excision) 시행
− 서혜부림프절절제술을 시행할 때 림프부종을 예방하기 위해 복재정맥(saphenous vein)을 보존
− 수술 후 이환율, 기능장애가 예상되는 경우, 수술, 방사선치료, 화학요법을 적절히 병합

(5) 외음부암의 치료

① 외음부 미세침윤암(Microinvasive vulvar cancer)

  a. T1a : 종양 크기 ≤2 cm and 간질 침윤 ≤1 mm

  b. 광범위 국소절제술(wide local excision)

② 조기 T1b 외음부암(early T1b vulvar cancer)

  a. T1b : 종양 크기 >2 cm or 간질 침윤 >1 mm

  b. 근치적 국소절제술(radical local excision)

  c. 림프절절제술을 위한 분리절개술(separate incision)

③ 조기 T2 외음부암(early T2 vulvar cancer)

  a. T2 : 종양의 크기에 관계없이 주변의 조직에 침범(요도의 하부 1/3, 질의 하부 1/3, 항문)

  b. 근치적 외음부절제술(radical vulvectomy) 또는 근치적 국소절제술(radical local excision)

④ 진행된 질환(large T2, T3) : 수술 후 방사선치료 또는 수술 후 항암화학방사선 치료

(6) 방사선치료(Radiation therapy)의 적응증

수술 전 항암화학방사선치료

- 골반내용물적출술의 적응증이 되는 진행된 질환
- 항문, 요도 기능의 소실이 예상되는 경우
- 고정되고 절제할 수 없는 서혜부 결절

수술 후 골반 및 서혜부림프절 치료

- 현미경적으로 양성인 다발성 서혜부림프절
- 서혜부림프절의 1개 이상 거대전이(10 mm 이상)
- 피막외침범(extracapsular spread)의 증거

(1) 완전 포상기태와 부분 포상기태

	완전 포상기태(Complete mole)	부분 포상기태(Partial mole)
유전		
핵형(karyotype)	46,XX (90%), 46,XY	Triploid (69,XXY)
Chromosomal origin	All paternal derived	Extra paternal set
병리		
Fetal or embryonic tissue	없음(absent)	있음(present)
Hydatidiform swelling of chorionic villi	전반적(diffuse)	부분적(focal)
Trophoblastic hyperplasia	전반적(diffuse)	부분적(focal)
Scalloping of chorionic villi	없음(absent)	있음(present)
Trophoblastic stromal inclusions	없음(absent)	있음(present)
임상증상		
전형적 증상	비정상적 질 출혈	계류 유산
증상의 빈도	흔함	드묾
지속성 임신성 융모질환(Persistent GTD)		
비전이성	15~25%	3~4%
전이성	4%	0%

(2) 완전 포상기태(Complete hydatidiform mole)

① 핵형 : 46,XX (90%), 46,XY (10%)
② 임상소견
    a. 질 출혈 : 가장 흔한 증상으로 환자의 80%
       에서 발생, 빈혈 증상
    b. 거대 자궁 : 자궁 크기는 혈중 hCG의 값과
       비례
    c. 전자간증(preeclapsia)
    d. 임신과다구토, 갑상샘기능항진증
    e. 난포막황체낭(theca lutein cyst)
      - 6 cm 이상이 50%
      - 대부분 양측성(bilateral), 다낭성 양상
      - 과도한 hCG의 영향으로 발생
      - 포상기태 치료 후 2~4개월 안에 자연 소실
③ 초음파 : 눈보라 양상(snowstorm pattern)
④ 완전 포상기태의 고위험군

    a. 포상기태 제거 전 hCG ≥100,000 mIU/mL
    b. 재태 연령에 비해 더 큰 자궁
    c. 난포막황체낭(theca lutein cyst) ≥6 cm

(3) 부분 포상기태(Partial hydatidiform mole)

① 핵형 : 삼배수체(triploid), 69,XXY, 69,XXX, 69,XYY
② 임상소견
    a. 전형적인 임상증상이 없음
    b. 불완전 유산 또는 계류 유산의 증상
    c. 대부분 포상기태 제거 후 조직학적으로
       진단
③ 초음파 : 태반 조직 내 국소적 낭성 공간
④ Persistent tumor
    a. 부분 포상기태의 2~4%에서 발생
    b. 관해을 위한 항암화학치료(chemotherapy)
       가 필요

(4) 포상기태의 치료

① 흡입 소파술(suction curettage) : 가장 안전, 효과적
② 자궁절제술(hysterectomy) : 임신을 원하지 않을 때

(5) hCG 추적검사

① 포상기태 제거 후 영양막 존재 여부를 가장 잘 반영
② hCG를 연속적으로 측정(이 동안은 피임 시행)
  a. 자궁소파술 후 48시간 뒤에 확인
  b. 정상치에 도달할 때까지 매주 실시
    - 3회 연속 정상 → 그 이후 매달마다 검사
    - 저위험군은 6개월, 고위험군은 1년간 매달 측정

(6) 태반부착부위 융모종양(PSTT)

① 주로 가임기 여성에서 발생(평균 30세 정도)
② 주증상 : 무월경, 부정출혈, 자궁비대
③ 낮은 혈청 hCG 수치
④ 대부분 정상 임신, 비포상기태 유산 후 발생
⑤ 치료 : 자궁절제술, 자궁소파술, 복합 항암화학요법

(7) 전이성 질환(Metastatic disease)

① 전이성 융모종양은 침윤기태 또는 융모막암종의 증상이 있으면서 병소가 이미 자궁체부를 넘어선 경우
② 완전 포상기태 제거 후 4%에서 발생
③ 전이장소 : 폐(80%), 질(30%)
④ 흉부 X-선의 특징적 소견 : 폐포 또는 눈보라 양상, 분리된 둥근 음영 또는 동전 모양, 흉수 등

(8) 예후점수제 분류법

WHO risk factor	0	1	2	4
나이	≤39	>39		
이전 임신력	Mole	Abortion	Term	
임신종결 후 약물치료 시작(개월)	<4	4~6	7~12	>12
치료 전 혈중 hCG (mIU/mL)	$<10^3$	$>10^3$~10^4	$>10^4$~10^5	$>10^5$
가장 큰 종양의 크기 (cm)		3~4	≥5	
전이 부위	Lung	Spleen, Kidney	GI tract	Brain, Liver
확인된 전이 종양의 개수		1~4	5~8	>8
이전에 실패한 항암화학요법			Single drug	Two or more drugs

(9) 임신성 융모종양(Gestational trophoblastic neoplasia)의 치료

Stage I	
Initial	Single-agent chemotherapy or Hysterectomy with adjunctive chemotherapy
Resistant	Combination chemotherapy, Hysterectomy with adjunctive chemotherapy, Local resection, Pelvic infusion
Stage II, III	
Low risk	
Initial	Single agent chemotherapy
Resistant	Combination chemotherapy
High risk	
Initial	Combination chemotherapy
Resistant	Second line combination chemotherapy

Stage IV	
Initial	Combination chemotherapy
Brain	Whole-head radiation (3,000 cGy), Craniotomy to manage complications
Liver	Resection or embolization to manage complications
Resistant	Second-line combination chemotherapy, Hepatic arterial infusion

(10) 위험군에 따른 항암화학치료

① 저위험군(Low risk)

　　a. 단일 항암화학요법이 원칙

　　b. Methotrexate 또는 actinomycin D 단독 투여

② 중등도위험군 : MTX + actinomycin D 병용요법

③ 고위험군(High risk) : EMA-CO 복합요법

(1) 유방암의 발생인자

① 성별과 나이
② 유전학적 요인(가족/유전성 유방암)
   a. 가족력
   b. 유전성 유방암
③ 호르몬 요인
   a. 이른 초경, 늦은 폐경 : 위험도 증가
   b. 이른 폐경 : 위험도 감소
   c. 미분만부(nullipara) : 위험도 증가
   d. 호르몬치료 : 단기 사용에도 위험도 증가
   e. 모유 수유 : 연관 관계 없음
④ 식이 요인
   a. 고지방식이, 폐경 후 체중증가 : 위험 증가
   b. Alcohol : 연관 관계가 명확치 않음
⑤ 암 과거력

(2) 유방암 검진 간격

① 20~40세 사이 : 3년에 한번 시행
② 40세 이후 : 매년 시행
③ 이상이 있던 경우 : 매년 시행

(3) 유방 자가검진(Breast self examination, BSE)

① 20세 이상에서 추천
② 폐경 전 : 매달 월경이 끝난 후 1주일 이내, 유방통증이 가장 없을 때 시행
③ 폐경 후 : 매달 1일 또는 일정한 날짜에 시행

(4) 유방촬영술(Mammography)

① 40세부터 매년 시행
② 가족력, 유전학적 요인, 유방암 과거력 : 40세 이전부터 시작, 추가 영상기법 권장

(5) 유방영상 보고자료체계 BI-RADS

Category	의의	관리방침
Category 0	판정유보(incomplete, needs further imaging) – 추가 검사 또는 이전 검사와의 비교가 필요한 경우	추가적 검사
Category 1	정상(negative) – 아무런 이상 소견이 없는 경우	정기적 검진
Category 2	양성(benign finding) – 판독지에 전형적인 양성 소견을 기술한 경우 – Category 1과 함께 정상 판독에 해당	정기적 검진
Category 3	양성 추정(probably benign) – 양성 가능성이 높으나 악성일 가능성(2% 미만)을 완전히 배제할 수 없는 경우 – 짧은 추적검사가 요구되는 경우 – 6개월 간격으로 2~3년간 추적검사 하는 것을 권장	6개월 간격 추적관찰 또는 유방촬영술 추적검사
Category 4	악성 의심병소 (suspicious abnormality) – 악성 병변이 의심되어 조직검사가 필요한 경우 – 4A : 낮은 악성 가능성(2~10%) – 4B : 중간 악성 가능성(10~50%) – 4C : 높은 악성 가능성(50~95%)	조직검사
Category 5	악성 가능성이 매우 높은 병소(highly suggestive malignancy) – 악성 가능성 95% 이상인 병변으로 조직검사를 반드시 시행	조직검사
Category 6	확진된 유방암(known malignancy) – 소견에 대해 2차 자문을 받거나 수술 전 선행 항암화학 요법을 받은 경우	임상적 적응 시 수술